韓国市民運動に学ぶ

政権を交代させた
強力な市民運動

Utsunomiya Kenji
宇都宮健児

花伝社

韓国市民運動に学ぶ——政権を交代させた強力な市民運動◆目次

はじめに　7

序章　私と韓国市民運動とのかかわり　9

一．韓国金利事情調査団団長として、初めて韓国ソウル市訪問　10
二．日本弁護士連合会会長として韓国の弁護士会や弁護士と交流　15
三．「希望のまち東京をつくる会」代表としてソウル市の改革と韓国の市民運動を視察　19
四．ハングル講座の修学旅行で光州訪問　21
コラム①　ハンギョレ新聞　25
コラム②　『徴用工問題の解決に向けて』　28
コラム③　『日帝強制動員問題の過去・現在・未来』　36

第一章　朴槿恵（パク・クネ）政権を退陣させ文在寅（ムン・ジェイン）政権を誕生させたろうそく市民革命　49

一．ろうそく市民革命の概要　50
二．ろうそく市民革命の背景　52
三．ろうそく市民革命の成果　61
四．文在寅政権の誕生と朝鮮半島情勢の変化　64

第二章　ソウル市の改革に学ぶ　71

一．朴元淳（パク・ウォンスン）ソウル市政の誕生　72
二．「三大核心公約」の着実な実施　74
三．「労働尊重都市ソウル」の労働政策　76
四．「チャットン」と呼ばれる出前福祉制度の創設　81
五．市民参加予算制度の導入　82
六．ろうそく市民革命でソウル市が果たした役割　84
七．朴元淳ソウル市長の「２０１８年新年の挨拶」　85

第三章　韓国の強力な市民運動に学ぶ
～ろうそく市民革命を成し遂げ、朴元淳ソウル市長を生んだ背景　89
一．参与連帯　90
二．希望製作所　95
三．経済正義実践市民連合（経実連）　96
四．福祉国家ソサエティ　99
五．マニフェスト実践本部　101
六．朴元淳弁護士が見た韓国と日本の市民運動の比較　103
コラム④　参与連帯元事務処長李泰鎬（イ・テホ）さん来日講演録　111
第四章　ろうそく市民革命の源流をたどる　181
一．３・１独立運動１００周年　182
二．３・１独立運動　183
コラム⑤　３・１独立運動１００周年記念式典における文在寅大統領演説　186

コラム⑥　3・1独立宣言　197
コラム⑦　朝鮮のジャンヌ・ダルク柳寛順　204
コラム⑧　タプコル公園　205
三．4月革命　207
コラム⑨　「4・19革命」の意義　214
四．光州5・18民主化運動　216
コラム⑩　第37周年5・18民主化運動記念式典における文在寅大統領演説　223
コラム⑪　「あなたのための行進曲」　230
コラム⑫　全泰壹（チョン・テイル）　234
五．6月民主抗争　239
コラム⑬　李韓烈（イ・ハンニョル）　243
おわりに　247

はじめに

東京都知事選に二度出馬したことから、隣国韓国の首都ソウル市における朴元淳（パク・ウォンスン）ソウル市長のソウル市政改革に関心を持つようになった。

また、ハングル講座の受講生として参加した修学旅行で二度光州市を訪問し、光州民衆抗争における光州市民の闘いを知り、多くの犠牲を払いながらも軍事政権と闘って、自由と人権、民主主義を勝ち取ってきた韓国の市民運動に関心を持つようになった。

憲法9条に違反する集団的自衛権の行使を認める安保法制を制定するとともに憲法9条の改正を目指す安倍晋三政権に反対する市民運動を繰り広げながらも、日本の市民運動はなかなか安倍政権を退陣に追い込めないでいる。

隣国韓国では、2016年10月29日から2017年3月11日にかけて、国民の3人に1人、約1650万人が参加する毎週土曜日20回のろうそく市民集会が行われ、この市民集会が起爆剤となって朴槿恵（パク・クネ）政権を退陣に追い込んだ。朴槿恵政権の退陣やその起爆剤となったろうそく市民集会のことは、日本でもニュース報道で伝えられたので、日本の市民運動関係者も韓国の市民運動に関心を持つようになった。

また、2018年4月には、光州5・18民主化運動を描いた韓国映画『タクシー運転手〜約束は海を越えて』が日本で公開され、同年9月には、6月民主抗争を描いた韓国映画『1987、ある闘いの真実』が日本で公開されたことも、韓国の市民運動に関心を持つ市民運動関係者を増やすことになった。

この頃より、私は日本の市民運動団体から韓国の市民運動について講演を頼まれることが多くなった。講演の際、いつも聞かれたのは、「韓国の市民運動に関する本を紹介してほしい」ということであった。ところが、日本には韓国の市民運動について紹介する本がほとんどなかった。

朴元淳ソウル市長によるソウル市政の改革に関して、これまで何度か一緒に韓国を訪問している白石孝さんが2018年3月に出版した『ソウルの民主主義』（コモンズ）という本があるくらいである。

そこで、私は韓国や朝鮮の専門家でも研究者でもないのであるが、私がこれまで韓国を訪問して調査したり、韓国の市民運動家と交流して知り得たことを一冊の本にまとめてみようと思うようになった。

本書出版の動機は以上のようなものである。本書を通じて、韓国の市民運動に関心を持つ人が増えるとともに、日韓の市民運動の交流がさらに活発になれば幸いである。

2020年1月

宇都宮健児

序章　私と韓国市民運動とのかかわり

一．韓国金利事情調査団団長として、初めて韓国ソウル市訪問

私が初めて韓国に行ったのは、２００５年3月27日から3月30日にかけて、日本弁護士連合会消費者問題対策委員会の韓国金利事情調査団の団長として、韓国ソウルを訪問した時である。

当時わが国では、２００３年7月25日貸金業規制法と出資法の改正法（いわゆる「ヤミ金融対策法」）が成立したが、改正法の附則で改正法施行後3年（２００７年1月）を目途として出資法の金利規制の見直しと貸金業規制法による貸金業制度の見直しが行われることになっていた。そして当時のわが国では、出資法の金利規制見直しに関連して一部の学者による金利規制撤廃論が浮上してきていた。すなわち、これらの学者は、金利規制の強化は借りたい人が借りることができなくなるとともにヤミ金融を増やすだけで消費者にとっても利益にならず、むしろ金利規制を撤廃して自由競争を行った方が結果として消費者金融の貸付金利が下がり消費者の利益になる、というような金利規制撤廃論を展開していた。

このため、私たちは、金利規制を一時撤廃した韓国において、どのような問題が生じているか大きな関心を持つに至った。

韓国では、１９９７年のアジア通貨危機を発端とする金融危機・経済危機によってＩＭＦの

管理体制下に入ると、1998年に年25%から年40%の上限金利を定めていた利子制限法が撤廃され、1999年にはクレジットカードの利用促進政策がとられたことにより、超高金利の「サチェ」と呼ばれる私金融が急増し、私金融の暴力的・脅迫的取立てが横行することになった。また、利子制限法撤廃後、日本のサラ金の韓国進出も急増するようになった。この結果、韓国では信用不良者・多重債務者の自殺や夜逃げ、一家離散などが多発するなど、信用不良者・多重債務問題は韓国内において大きな社会問題となった。

このような事態に対処するため、韓国では、急遽2002年8月に「貸金業の登録及び金融利用者保護に関する法律」(貸付業法)が制定され、同法の中で金利規制を復活させたが、同法による金利規制の上限金利は、年66%と依然として高金利であった上に、この金利規制を遵守しない私金融も多数存在したことや、日本のサラ金の韓国進出が続いたことなどから、韓国では信用不良者・多重債務問題が引き続き大きな社会問題となっていた。

このような韓国における消費者金融の金利規制問題・多重債務問題の実情を調査するため、私たちは、2005年3月27日から3月30日にかけて韓国ソウルに行き、韓国の金融監督院、韓国消費者保護院、大法院(韓国の最高裁判所)、大韓弁護士協会、ソウル地方弁護士会、韓国消費者連盟、参与連帯、民主労働党などを訪問して調査を行った。

韓国における信用不良者とは、金融会社からの30万ウォン(約3万円)以上の借金の支払いを3カ月以上滞納し、その延滞情報が信用情報機関に登録されている者のことを言う。信用不良者の数は、利子制限法撤廃前までは数十万人程度であったが、その後急増し、2000年には208万人、2001年には245万人、2002年には263万人となった。そして2003年に入るとほぼ毎日10万人のペースで増加し、2003年12月末には370万人に達した。私金融からの借入れの場合や住宅担保貸付けの場合には、その延滞があっても信用情報機関には登録されないので、私金融からの借入れがあり返済困難な状況に陥った者も含めると、いわゆる多重債務者は500万人以上に及ぶということであった。

韓国の消費者信用産業は、制度圏金融と非制度圏金融に大別される。制度圏金融には銀行グループ（「第一金融圏」と呼ばれる）とそれ以外の証券会社や保険会社などのグループ（「第二金融圏」と呼ばれる）がある。非制度圏金融には私金融があり、私債とも呼ばれている。

制度圏金融は金融監督機関の監督を受けるのに対し、私金融は金融監督機関の監督外に置かれていた。私金融は、2002年に急遽制定された貸付業法により、市長・県知事に登録を要することになったが制度圏金融に比べ規制は最小限であった。私金融は、個人向けの小口与信行為が中心であり制度圏金融では対応できない層の需要をまかなっていた。

利子制限法廃止前は、私金融はタブー視されており、ごく一部の低所得者層のみに利用されるにとどまっていたが、1998年1月に利子制限法が撤廃されると、私金融市場における金利はうなぎ上りとなり、年300%を超える超高金利が蔓延するようになった。

利子制限法撤廃後、私金融による被害は悲惨な状況となり、民主労働党の言葉を借りれば

「地獄より悲惨な時代」が訪れ、言葉にするのもはばかられる深刻な被害が蔓延した。利子制限法廃止により、金利は青天井となり、民主労働党が把握するところでは、もっとも高い金利として、年3万4000%という超高金利で12万8000ウォンを貸付け、6カ月分の滞納金を含め8800万ウォンを請求したケースがあるということであった。

私金融による取立ては、暴行・脅迫は当たり前の状況であり、拉致、監禁、殺害、臓器売買の強要、人身売買などが横行した。直接債務を負担していない家族や親戚などの第三者に対しても支払いを要求し、脅迫的取立てを行うという被害が広がり、超高金利の支払いを強要するため、「身体放棄覚書」「買春街売買覚書」「臓器放棄覚書」などの書面を要求する手口も横行した。

解決師と呼ばれる暴力団による取立てが急増し、私金融関連の組織暴力団の検挙件数は2000年から2002年にかけて3倍以上に増加し、暴力団員全体の検挙者の中で、私金融関係が占める割合も、2000年に5・3%だったものが2001年には11%にまで倍増した。

利子制限法撤廃後、高金利と過酷な取立てに耐えかねて自殺する者も増加しており、韓国の自殺者数は、OECD加盟国中増加率が1位であり、人口10万人あたりの自殺者数も2003年以降世界1位であると推計されている。

韓国金利事情調査で、金利規制の撤廃が韓国内で超高金利の私金融を横行させるとともに信用不良者・多重債務者を激増させ、「地獄より悲惨な」深刻な被害を発生させていることがわ

第10回目「東アジア金融被害者交流集会」(2019年11月9日)

かった。

私たちは、2005年10月、韓国調査の結果を『韓国金利事情調査報告書』としてまとめた。この調査報告書は、2006年12月金利規制と過剰融資規制を抜本的に強化した画期的な改正貸金業法を成立させる上で大きな力となった。

また、この韓国調査などがきっかけとなって、韓国や台湾の弁護士・司法書士・多重債務被害者団体などとの交流が「東アジア金融被害者交流集会」として韓国・台湾・日本で行われるようになり、2019年は、11月に第10回目の「東アジア金融被害者交流集会」が日本の秋田で開催された。

二、日本弁護士連合会会長として韓国の弁護士会や弁護士と交流

私は、２０１０年４月から２０１２年４月まで日本弁護士連合会（略称「日弁連」）の会長を務めた。

日弁連は、世界のさまざまな国の弁護士会と交流を持っているが、中でも韓国の大韓弁護士協会とは、とりわけ親しく交流してきている。

私が日弁連会長当時は、大韓弁護士協会と毎年１年おきに日本と韓国とで交流会を開催していた。２０１０年は日本の東京で、２０１１年は韓国の済州島で交流会を開催している。

また、２０１１年２月に韓国の釜山で開催された「第２回大韓弁護士協会人権・環境大会」においては、大韓弁護士協会から要請されて、私は記念講演を行っている。

さらに、アジア・太平洋地域の法曹団体および法律家の団体であるローエイシア（ＬＡＷＡＳＩＡ）の年次大会が２０１１年10月に韓国ソウルで開催された時は、私も参加して日弁連会長として挨拶を行った。

私が日弁連会長となった２０１０年は、韓国併合条約締結から１００年の節目の年であったことから、アジア太平洋戦争時の日本軍「慰安婦」問題や強制動員・強制労働被害問題の被害

『日帝強制動員問題の争点と正しい解決策模索のための韓日共同シンポジウム』（2019 年 9 月 5 日）

者の救済に関する共同シンポジウムをソウルと東京で開催し、２０１０年12月11日、「日本弁護士連合会と大韓弁護士協会の共同宣言」と「日本軍『慰安婦』問題の最終的解決に関する提言」を発表している。

日本企業新日鉄住金株式会社（現日本製鉄）に対し元徴用工４人への損害賠償を命じた２０１８年10月30日の韓国大法院判決以降、日韓関係が悪化し、経済的報復合戦が行われているが、２０１０年12月11日の日弁連と大韓弁護士協会の「共同宣言」は、徴用工問題・強制動員被害解決に向けての貴重な指針になるものと考えている。

２０１９年７月に要請を受けて、２０１０年12月11日の日弁連と大韓弁護士協会の「共同宣言」を踏まえて、私が『徴用工問題の解決に向けて』という論文を韓国のハンギョレ新聞に寄稿したところ大きな反響を呼び、私はＹＴＮテレビ、ＪＴＢＣテレビ、

大韓弁護士協会の李讃熙（イ・チャンヒ）会長と（2019年9月5日）

アリランテレビ、ＳＢＳテレビ、ＭＢＣテレビ、聯合ニューステレビなどから取材を受けた。

　また、ソウル地方弁護士会の要請で、同弁護士会が主催する『日帝強制動員問題の争点と正しい解決策模索のための韓日共同シンポジウム』に参加するために、２０１９年９月５日、６日ソウルを訪れた。

　９月５日はシンポジウムの前に、大韓弁護士協会の李讃熙（イ・チャンヒ）会長を表敬訪問し、徴用工問題・強制動員問題の解決に向けて日韓の弁護士・弁護士会の果たす役割などについて意見交換を行った。ソウル地方弁護士会の会館内で９月５日に開催された韓日18シンポジウムにおいては、私は『日帝強制動員問題の過去・現在・以来』と題して特別講演を行った。シンポジウム終了後は、韓国の弁護士さん達と懇親会を行い、親しく交流した。

　９月６日は午前中、ハンギョレ新聞本社を訪問し、ハンギョレ新聞の論説委員の皆さんと懇談するとと

全泰壹（チョン・テイル）記念館を見学（2019年９月６日）

もに、論説委員のキム・ヨンヒさんに本社内を案内してもらった。ハンギョレ新聞は、１９８７年６月民主抗争による民主化後、約２万７０００人の市民から50億ウォンの募金を集めて１９８８年５月15日に創刊された、大資本からも権力からも独立した韓国でもっともリベラルな新聞である。

９月６日の午後は、タプコル公園と李韓烈（イ・ハンニョル）記念館、全泰壹（チョン・テイル）記念館を見学した。タプコル公園は別名パゴダ公園とも呼ばれている１９１９年の３・１独立運動発祥の地である。園内には３・１独立運動の様子を伝えるレリーフが多数飾られている。

延世大学生であった李韓烈は１９８７年６月９日の抗議デモの最中、戦闘警察が放った催涙弾に直撃されて倒れ、同年７月５日20歳の若さで生涯を終えた。同年７月９日に行われた李韓烈烈士民主国民葬にはソウルで約１００万人が、光州で約50万人が参加したといわれている。

全泰壹は、17歳でソウル市東大門市場にある平和市場の縫製工場で働き始めた際、そこで働いている女性労働者の多くが長時間労働と低賃金という劣悪な労働環境で働かされている現状を知り、労働基準法を独学で勉強し、労働庁に陳情するなどしたが一向に改善されなかったため、「われわれは機械ではない、日曜日は休みにしろ、労働基準法を守れ、私の死を無駄にするな!」と叫び全身にガソリンをかぶって抗議の焼身自殺をした。全泰壹の母李小仙(イ・ソソン)は、全泰壹の遺志を継いで、逮捕・投獄されながらも労働運動にかかわるようになった。全泰壹の母は、「韓国労働運動の母」と呼ばれているということである。

3・1独立運動はもちろんのこと、李韓烈や全泰壹のことは韓国の中学校や高校の教科書に出てくるということである。日韓関係は最悪な状況となっているが、韓国ソウルで素晴らしい人々と交流し、また韓国の歴史に触れ元気をもらった2日間であった。

三.「希望のまち東京をつくる会」代表としてソウル市の改革と韓国の市民運動を視察

私は2012年12月と2014年2月に行われた東京都知事選挙に出馬したが、この時選挙を戦った仲間たちと「希望のまち東京をつくる会」という団体をつくり、都政の監視、都政の改革をめざす活動を続けている。

2度の都知事選を戦う中で、私は韓国の首都ソウルで市民運動家で弁護士の朴元淳(パク・

ウォンスン）が市長となり素晴らしい改革を行っていることを知った。

朴元淳は韓国でもよく知られている市民団体「参与連帯」の創設にかかわった市民運動家で、2000年の韓国総選挙では「落選運動」を主導した弁護士である。朴元淳は2010年10月に行われたソウル市長選挙に「市民が市長だ」「堂々と享受できる福祉」などのスローガンと、①無償給食の実施②ソウル市立大学の授業料の半額化③非正規職の正規職化の三大公約を掲げて立候補し、当選する。そしてソウル市長になってからは、選挙で掲げた公約を着実に実行してきている。

給食の無償化は貧しい家庭の児童生徒だけを対象とする無償化（選別的福祉）ではなく、全ての児童生徒を対象とする無償化（普遍的福祉）を実施したので、児童生徒の中に差別や分断が持ち込まれなかった。また、ソウル市立大学の授業料が半額化されたため、それまでバイトに追われていた学生が、サークル活動をする余裕が出てきたと言われている。

「非正規職の正規化」の公約に関しては、清掃労働者（それまでは派遣会社から派遣された派遣労働者だった）の中に、政治家は当選してしまえば公約など忘れてしまい俺たちのことなどすぐ忘れてしまうんだと言う人がいると聞いて、朴元淳は当選後ソウル市庁舎に初めて登庁する日の朝4時に起床して清掃労働者と一緒にゴミの清掃をしてから登庁したという逸話が残っている。そして、朴元淳は、市長就任後青年ユニオンの活動家を労働補佐官として任用し、ソウル市で働く職員の実態調査を行った上で非正規職員を順次正規職員に転換していっている。

「希望のまち東京をつくる会」は、朴元淳市長が行ってきているソウル市の改革と朴元淳ソウル市長を誕生させたソウルの市民運動から学ぶために、私が訪問団12名の団長となり、2014年10月6日から10月8日にかけて、韓国ソウル市を訪問し、ソウル市庁舎、ソンミサン・マウル、参与連帯、希望製作所、福祉国家ソサエティ、マニフェスト実践本部、戦争と女性の人権博物館などを視察してきた。

また、「希望のまち東京をつくる会」のメンバーとうつけんゼミ1期生のメンバー17名は、2017年10月29日から11月1日にかけて、韓国ソウル市を再び訪れ、ソウル市庁舎、ソウル市NPO支援センター、ソウル革新パーク、衿川（クム・チョン）区庁、禿山（トクサン）4洞（ドン）住民センターなどの行政関係組織、参与連帯、経済正義実践市民連合（経実連）などの市民運動団体を視察してきている。

四．ハングル講座の修学旅行で光州訪問

私は、韓国の弁護士や市民運動家と交流する中で、もっともっと韓国の弁護士や市民運動家と親しくなりたいと思い、3年位前から韓国語を学ぶために、東京学習会議が主催する『ハングル講座』に通っている。

光州市立公園墓地の民主化運動犠牲者のお墓の前で（2018年5月18日）

国立5・18民主墓地で行われた「5・18祈念式典」（2019年5月18日）

「国立 5・18 民主墓地」の光州民主化運動犠牲者の前でキム・ヨンチョル解説士の話を聞く（2018 年 5 月 18 日）

「5・18 記念式典」の前夜祭におけるデモンストレーション。朴元淳ソウル市長の顔も見える（2018 年 5 月 17 日）

韓国語はなかなか上達しないのであるが、「ハングル講座」の受講生のために東京学習会議が企画してくれた修学旅行としての『光州スタディツアーろうそく革命の源流にふれる旅』で光州市を2度訪問することができたことは、ハングル講座に通って大変良かったと思っている。

2018年の光州スタディツアーでは5月16日から5月19日にかけて光州市を訪問し、光州市庁舎に尹壮鉉（ユン・ザンヒョン）光州市長を表敬訪問して懇談し、光州NPOセンター、旧全羅南道庁記録館、5・18民主化運動記録館などを視察し、5・18記念式典に参加した後、国立5・18墓地、光州市立公園墓地などを見学した。

2019年の光州スタディツアーでは、5月16日から5月20日にかけて光州市を訪問し、5・18自由公園、5・18記念文化センター、5月の母の家、周南マウル、旧全羅南道庁跡建物における展示などを見学し、5・18記念式典に参加した後、国際交流音楽会を鑑賞し、音楽会終了後の交流会に参加した。

光州スタディツアーに参加した関係で、70周年記念日本のうたごえ祭典関連企画として2019年1月18日に都内で開催された『日韓音楽交流20年記念音楽会～あなたとつなぐ』では実行委員長を務めることになった。

この記念音楽会を通して、韓国の著名な民衆歌謡歌手である孫炳輝（ソン・ビョンフィ）さんや金元中（キム・ウォンジュン）さん、仁川市民文化芸術センターサークル連合〝文化の風〟、光州興士団〝雁合唱団〟（キロギ合唱団）、光州青い松市民合唱団（プルンソルシミン合唱団)、光州五月オモニの会合唱団の皆さんと親しく交流することができた。

韓国の民衆歌謡歌手孫炳輝さんは、2016年冬から2017年春にかけて、延べ約1650万人が参加したろうそく市民集会では、光化門広場でテントを張って寝泊まりし、集会を歌でリードし政治を変える原動力となってきた人である。

このような韓国ソウル市や光州市の訪問、韓国の弁護士や市民運動家との交流を通じて、私はますます隣国韓国の歴史や市民運動に対する関心を強めるに至った。

コラム ① column

ハンギョレ新聞

ハンギョレ新聞は、1987年6月民主抗争による民主化後、多くの市民株主から募金を集めて1988年5月15日に創刊された、大資本からも権力からも独立した韓国でもっともリベラルな新聞である。

1970、1980年代の軍事独裁政権時代は、韓国のジャーナリズムの暗黒期であった。権力者たちは独裁政権を批判する市民に過酷な弾圧を加え、そのうめき声を報じないようにジャーナリストを弾圧し、口を抑えた。

ハンギョレ新聞本社を訪ねたとき、いただいた『不屈のハンギョレ新聞』（現代人文社）

その時、権力の迫害を拒否したジャーナリストもいた。不当な権力の不正、腐敗の事実を歪曲して書いたり、賛美しないことを宣言した。このような記者は、東亜日報や朝鮮日報などの制度言論の外へ追い出され、記者らしい記者は大量に解雇された。

解職記者たちは、市場で衣服を売ったり、出版社に翻訳原稿を渡したり、故郷で農作業をしたりして、時代と折り合おうとはしなかった。監獄に連行され苦難に直面し、その果てには病気でこの世を去った人もいた。

最初のハンギョレ新聞は、このような解職記者たちによって創刊された。ハンギョレ新聞は、現在約6万人の少額株主が投資して作られている新聞である。巨大資本による支配を拒むという理由から、株主1人当たりの出資額は資本金全体の1％以内に制限されている。これにより、特定の株主が影響力を伸ばして、ハンギョレ新聞の経営権及び編集権に不当な干渉を行うことを防止している。このことは、世界のジャーナリズム史上でも画期的なことである。

ソウル市麻浦（マッポ）区孔徳洞（クドクドン）にあるハンギョレ新聞社の社屋は地下3階

ハンギョレ新聞本社で論説委員の皆さんと（2019 年 9 月 6 日）

ハンギョレ新聞本社屋上で論説委員のキム・ヨンヒさんと（2019 年 9 月 6 日）

地上8階建てで、9階の屋上には庭園がつくられている。
「ハンギョレ」とは「一つの民族」「一つの同胞」という意味である。

コラム 2 column

『徴用工問題の解決に向けて』

2019年7月、私がハンギョレ新聞に寄稿した徴用工問題に関する原稿である。

「徴用工問題の解決に向けて」

1. 韓国大法院判決に対する日本政府の対応の誤り

2018年10月30日、韓国大法院が新日鉄住金株式会社(現日本製鉄)に対し元徴用工4人への損害賠償を命じた判決について、安倍晋三首相は同年10月30日の衆議院本会議において、元徴用工の請求権について「1965年の日韓請求権・経済協力協定によって完全かつ最終的に解決している」とした上で、「判決は国際法に照らして、あり得ない判断だ。日本政府として毅然と対応していく」と強調した。また、河野太郎外務大臣も「判決は暴挙であり、国際法に基づく国際秩序への挑戦だ」と韓国大法院の判決を批判した。テレビ・新聞など日本のほとんどのマスメディアは、このような政府の姿勢に追随し、韓国大法院判決と韓国批判の大合唱を行っている。

しかしながら、国民主権の民主主義国家においては、立法、司法、行政の三権は分立しているのが原理・原則となっている。三権が一権に集中すると独裁政権となり、権力の濫用が行われ、国民・市民の自由と人権が侵害される危険性が大きくなるからである。有名なフランス人権宣言16条では「権利が確保されず、権力の分立が定められていないすべての社会は憲法をもたない」と規定している。

そして三権分立下での司法の中心的役割は、国民・市民の基本的人権を守るという立場から、立法・行政をチェックするところにある。元徴用工の人権を守るため韓国大法院が仮に韓国政府の立場と異なる判断をしたとしても、民主主義社会における司法のあり方として全然おかしいことではないのである。

韓国大法院の判決を暴挙として批判を繰り返す日本政府や政府に追随する日本のメディアは、民主主義社会における三権分立とは何か、三権分立下における司法の役割とは何かを、全く理解していないものと言わざるを得ない。

また、元徴用工などの個人の損害賠償請求権を国家間の協定によって消滅させることができないことは、今や国際人権法上の常識となっているものである。

さらに、これまで日本政府や日本の最高裁判所においても、日韓請求権協定によっても実体的な個人の損害賠償請求権は消滅していないと解釈されてきたものである。

たとえば、1991年8月27日の参議院予算委員会において、外務省の柳井俊二条約局長（当時）は、「いわゆる日韓請求権協定におきまして両国間の請求権の問題は最終かつ完全に解決したわけでございます。その意味するところでございますが（中略）日韓両国が国家として持っておりますす外交保護権を相互に放棄したということでございます。したがいまして、いわゆる個人の請求権そのものを国内法的な意味で消滅させたというものではございません」と答弁している。

また、日本の最高裁判所は2007年4月27日、中国人強制連行の被害者が日本企業の西松建設に賠償を求めた判決で、中国との間の賠償関係等について外交保護権は放棄されたが、被害者個人の賠償請求権については、「請求権を実体的に消滅させることまでを意味するものではなく、当該請求権に基づいて訴求する権能を失わせるにとどまる」と判断している。この最高裁判決の後、勝訴した被告の日本企業西松建設は、強制連行被害者との和解に応じている。この最高裁の解釈は、韓国の元徴用工の賠償請求権についても、当然あてはまる。この最高裁の解釈によれば、実体的な個人の賠償請求権は消滅していないのであるから、日本企業新日鉄住金が任意かつ自発的に賠償金を支払うことは法的に可能であり、その際に、日韓請求権協定は全く法的障害にならないはずである。

安倍首相の日韓請求権協定により「完全かつ最終的に解決した」という国会答弁が、元徴用工個人の賠償請求権は完全に消滅したという意味であれば、日本政府のこれまでの見解や日本の最高裁判所の判決への理解を欠いた答弁であり、完全に誤っているといわねばならない。

2．徴用工問題の本質は人権侵害問題である

新日鉄住金を訴えた元徴用工は、賃金が支払われずに、感電死する危険があるなかで溶鉱炉にコークスを投入するなどの過酷で危険な労働を強いられてきた。提供される食料もわずかで粗末なものであり、外出も許されず、逃亡を企てたとして体罰をかせられるなど、極めて劣悪な環境に置かれていた。これは強制労働（ＩＬＯ第29号条約）や奴隷制（１９２６年奴隷条約）に当たるものであり、重大な人権侵害である。

徴用工訴訟は、重大な人権侵害を受けた被害者が救済を求めて提訴した事案であり、社会的にも解決が求められている事案である。したがって、この問題の真の解決のためには、被害者が納得し、社会的にも容認される解決内容であることが必要である。被害者や社会が受け入れることができない国家間の合意は、いかなるものであれ真の解決とはなり得ない。

徴用工問題の本質が人権侵害問題である以上、なによりも、被害者個人の被害が回復されなければならない。そのためには、新日鉄住金など日本企業が韓国大法院判決を受け入れるとともに、自発的に人権侵害の事実と責任を認め、その証として謝罪と賠償を含めて被害者及び社

会が受け入れることができるような行動をとることが必要である。

例えば、中国人強制連行事件である花岡事件、西松建設事件、三菱マテリアル事件などでは、訴訟を契機に、日本企業が事実と責任を認めて謝罪し、その証として企業が拠出して基金を設立し、被害者全員の救済を図ることで問題を解決した例がある。そこでは、被害者個人に対する金銭の支払いのみならず、受難の碑ないし慰霊碑を建立し、毎年中国人被害者等を招いて慰霊祭等を催すなどの取り組みが、行われてきている。

新日鉄住金をはじめとする日本企業は、元徴用工の被害者全体の解決に向けて踏み出すべきである。それは企業としても国際的信頼を勝ち得て、長期的に見れば企業価値を高めることにもつながる。また、日本の経済界全体としても日本企業のこのような取り組みを支援することが期待される。

徴用工問題に関しては、劣悪な環境に置いた日本企業に賠償責任が発生するのは当然のことであるが、日本政府・日本国の責任も問題となる。なぜなら、徴用工問題は、1910年の日韓併合後朝鮮半島を日本の植民地とし、その下で戦時体制下における労働力確保のため1942年に日本政府が制定した「朝鮮人内地移入斡旋要綱」による官斡旋方式による斡旋や、1944年に日本政府が植民地朝鮮に全面的に発動した「国民徴用令」による徴用が実施される中で発生した問題であるからである。

このようなことを考えれば、日本政府は新日鉄住金をはじめとする日本企業の任意かつ自発的な解決に向けての取り組みに対して、日韓請求権協定を持ち出してそれを抑制するのではなく、むしろ自らの責任をも自覚した上で、徴用工問題の真の解決に向けた取り組みを支援すべきである。

ナチス・ドイツによる強制労働被害に関しては、２０００年８月、ドイツ政府と約６４００社のドイツ企業が「記憶・責任・未来」基金を創設し、これまでに約１００カ国の１６６万人以上に対し約44億ユーロ（約７２００億円）の賠償金を支払ってきている。このようなドイツ政府とドイツ企業の取り組みこそ、日本政府や日本企業は見習うべきである。

３．２０１０年12月11日の日本弁護士連合会と大韓弁護士協会の共同宣言

私が日本弁護士連合会（日弁連）の会長を務めていた当時の２０１０年12月11日、日弁連と大韓弁護士協会（大韓弁協）（当時の会長は金平祐弁護士）は、日本国による植民地支配下での韓国民に対する人権侵害、特にアジア太平洋戦争時の人権侵害による被害と被害回復に関し開催した共同シンポジウムの成果を踏まえて、日本軍「慰安婦」問題や強制動員被害の救済のために、「共同宣言」を発表している。

この共同宣言の骨子は、以下のような内容である。

①われわれは、韓国併合条約締結から１００年を経たにもかかわらず、日韓両国及び両国民

が、韓国併合の過程や韓国併合条約の効力について認識を共有していない状況の下で、過去の歴史的事実の認識の共有に向けた努力を通じて、日韓両国及び両国民の相互理解と相互信頼が深まることが、未来に向けて良好な関係を築くための礎であることを確認する。

②われわれは、日本軍「慰安婦」問題の解決のための立法が、日本政府及び国会により速やかになされるべきであることを確認する。

この立法には、日本軍が直接的あるいは間接的な関与のもとに設置運営した「慰安所」等における女性に対する組織的かつ継続的な性的行為の強制が、当時の国際法・国内法に違反する重大な人権侵害であり、女性に対する名誉と尊厳を深く傷つけるものであったことを日本国が認め、被害者に対して謝罪し、その責任を明らかにし、被害者の名誉と尊厳回復のための金銭の補償を含む措置をとること、その事業実施にあたっては、内閣総理大臣及び関係閣僚を含む実施委員会を設置し、被害者及び被害者を代理する者の意見を聴取することなどが含まれなければならない。

また、日本政府は、日本軍「慰安婦」問題を歴史的教訓とするために、徹底した真相究明と、教育・広報のための方策を採用しなければならない。

③われわれは、1965年の日韓請求権協定の完全最終解決条項の内容と範囲に関する両国政府の一貫性がない解釈・対応が、被害者らへの正当な権利救済を妨げ、被害者の不信感を助長してきたことを確認する。

このような事態を解消するために、日韓基本条約等の締結過程に関する関係文書を完全に公開して認識を共有し、実現可能な解決案の策定をめざすべきであり、韓国政府と同様に、日本政府も自発的に関係文書を全面的に公開すべきことが重要であるという認識に達した。

④韓国においては、強制動員による被害の救済のために、強制動員被害の真相究明及び支援のための法律が制定されたが、日本政府においても真相究明と謝罪と賠償を目的とした措置をとるべきである。

さらにわれわれは、2007年4月27日に日本の最高裁判所が、強制動員にかかわった企業及びその関係者に対し、強制動員の被害者らに対する自発的な補償のための努力を促したことに留意しつつ、既に自発的な努力を行っている企業を評価するとともに、他の企業に対しても同様の努力を行うよう訴える。

この際、想起されるべきは、ドイツにおいて、同様の強制労働被害に関し、ドイツ政府とドイツ企業が共同で「記憶・責任・未来」基金を設立し、被害者の被害回復を図ったことである。韓国では、真相究明委員会が被害者からの被害申告を受け被害事実を審査していることから、同委員会とも連携し、日韓両国政府の共同作業により強制動員被害者の被害回復を進めることも検討すべきである。

徴用工問題の本質が人権侵害問題である以上、なによりも元徴用工個人の被害回復がされなければならない問題である。そのためには、まず、加害企業である日本企業は、自発的に人権侵害の事実と責任を認め、その証として謝罪と賠償を含めて被害者及び社会が受け入れることができるような行動をとるべきである。そして、日韓両国政府は相互に非難しあうのではなく、何よりも人権侵害を受けた元徴用工の被害回復の一点で日韓両国政府は協力すべきである。2010年12月11日の日弁連と大韓弁協の「共同宣言」は、その際の貴重な指針になるものと考える。

コラム ③ column

『日帝強制動員問題の過去・現在・未来』

2019年9月5日に開催されたソウル地方弁護士会が主催する『日帝強制動員問題の争点と正しい解決策模索のための韓日共同シンポジウム』で、私が行った特別講演の原稿である。

「日帝強制動員問題の過去・現在・未来」

1. 日帝強制動員の歴史

1937年7月7日盧溝橋事件が勃発し日中戦争が始まると、日本人男子の出征により日本国内の労働力が不足するようになりました。このため、日本国内では1938年4月に「国家総動員法」が、1939年7月には「国民徴用令」が日本全土で施行されました。

1939年7月4日日本政府は「労務動員実施計画」を閣議決定し、労働力の給源として植民地支配下にある朝鮮半島から8万5000人の労働者を確保する計画を立てました。これが日本帝国による日本内地にかかわる朝鮮人労務動員政策の最初の決定です。この「労務動員計画」は朝鮮半島において1939年9月から実施されました。また、1942年2月23日日本政府は朝鮮人労働者を更に積極的に内地に導入するため「朝鮮人労務者活用に関する方策」を閣議決定し、「朝鮮人内地移入斡旋要綱」に基づき官斡旋方式による要員確保が行われました。さらに、1944年8月8日日本政府は「半島人労務者の移入に関する件」を閣議決定し、これを受けて同年9月から朝鮮半島でも「国民徴用令」が本格的に発動され、徴用による朝鮮人労働者の動員が行われました。

このように日本政府の朝鮮人労務動員計画は①1939年9月からの「募集形式」②1942年2月からの「官斡旋方式」③1944年9月からの「徴用令方式」の3段階に分けて行われています。最初の「募集形式」の段階から朝鮮総督府の指示の下、行政・警察当局も関与した強力な勧誘が行われています。したがって募集とはいっても、実態は「強制」に近いものでした。

こうして動員された朝鮮人労働者は、主として軍需産業の維持発展に欠かせない炭鉱や鉱山などに配置されましたが、その労働環境は過酷を極めました。

炭鉱労働者の場合、逃走防止の監視が行われるとともに、「監獄部屋」に入れられ、1日12時間を超えて働かされました。また賃金は日本人労働者の半分程度であり、強制貯金と労務係のピンハネの結果、給与は全く支給されませんでした。また、炭鉱の落盤事故などにより生命を失ったり負傷する朝鮮人労働者も数多く存在しました。

朝鮮人の労務動員の総数については、日本政府の調査でも確定しておらず、研究者でも様々な見解があります。1945年9月の厚生省勤労局「朝鮮人集団移入状況調」では、66万7684人となっています。本来は強制動員問題に関する加害国である日本政府による徹底した実態調査が行われるべきだったと考えます。

2. 日韓請求権協定の限界

人権は普遍的なものであり、世界中で適用可能であるだけでなく、過去の社会を評価するための有効な原則です。強制動員問題の本質は、過酷な労働環境のもとで働かされた朝鮮人労働者の重大な人権侵害問題です。そうであれば、なによりも強制動員被害者が納得する形での解決が図られる必要があったと考えます。

しかしながら、日韓請求権協定は、当事者である被害者抜きに被害者を置き去りにしたままでの日本政府と韓国政府の「政治的妥協」としての協定であり、その意味で大きな限界があったものです。

　また、日韓請求権協定では、日本政府は日韓併合条約と朝鮮半島に対する植民地支配の不法性を認めず、植民地支配を反省しないままで、日韓両国間の財政的・民事的債権・債務関係を解決するために締結されたものであり、この意味でも限界があったものです。

3. 韓国大法院判決に対する日本政府の対応の誤り

　２０１８年10月30日、韓国大法院が新日鉄住金（現日本製鉄）に対し元徴用工４人への損害賠償を命じた判決について、安倍晋三首相は同年10月30日の衆議院本会議において、元徴用工の請求権について「１９６５年の日韓請求権・経済協力協定によって完全かつ最終的に解決している」とした上で、「判決は国際法に照らして、あり得ない判断だ。日本政府として毅然と対応していく」と強調しました。また、河野太郎外務大臣も「判決は暴挙であり、国際法に基づく国際秩序への挑戦だ」と韓国大法院の判決を批判しています。テレビ・新聞など日本のほとんどのマスメディアは、このような政府の姿勢に追随し、韓国大法院判決と韓国批判の大合唱を行っています。

　しかしながら、国民主権の民主主義国家においては、立法、司法、行政の三権は分立しているのが原理・原則となっています。三権が一権に集中すると独裁政権となり、権力の濫用が行われ、国民・市民の自由と人権が侵害される危険性が大きくなるからです。有名なフランス人権宣言16条では「権利が確保されず、権力の分立が定められていないすべての社会は憲法をもたない」と規定しています。

そして三権分立下での司法の中心的役割は、国民・市民の基本的人権を守るという立場から、立法・行政をチェックするところにあります。元徴用工の人権を守るため韓国大法院が仮に韓国政府の立場と異なる判断をしたとしても、民主主義社会における司法のあり方として全然おかしいことではないのです。

韓国大法院の判決を暴挙として批判を繰り返す日本政府や政府に追随する日本のメディアは、民主主義社会における三権分立とは何か、三権分立下における司法の役割とは何かを、全く理解していないものと言わざるを得ません。

韓国大法院の判決は「元徴用工らの損害賠償請求権は日本政府の韓半島に対する不法な植民地支配および侵略戦争の遂行と直結した日本企業の反人道的な不法行為を前提とする強制動員被害者の日本企業に対する慰謝料請求権」であるとし、この慰謝料請求権は請求権協定には含まれていないと判断して、元徴用工らを勝訴させています。

不法行為による慰謝料請求権でなくても、個人の損害賠償請求権を国家間の協定によって消滅させることができないことは、今や国際人権法上の常識となっています。

さらに、これまで日本政府や日本の最高裁判所においても、日韓請求権協定によっても実体的な個人の損害賠償請求権は消滅していないと解釈されてきたものです。

たとえば、1991年8月27日の参議院予算委員会において、外務省の柳井俊二条約局長（当時）は、「日韓請求権協定により日韓両国が国家として持っている外交保護権は相互に放棄したが、個人の請求権は消滅していない」という趣旨の答弁をしています。

また、日本の最高裁判所は2007年4月27日、中国人強制動員被害者が日本企業の西松建設に賠償を求めた判決で、中国との間の賠償関係等について外交保護権は放棄されたが、被害者個人の賠償請求権については、「請求権を実体的に消滅させることまでを意味するものではなく、当該請求権に基づいて訴求する権能を失わせるにとどまる」と判断し、強制動員に関わった企業及び関係者に対し、強制動員の被害者らに対し自発的な補償の努力を促しています。この最高裁判決の後、西松建設は、強制動員被害者との和解に応じています。この最高裁の解釈は、韓国の元徴用工の賠償請求権についても、当然あてはまることになります。

なお、この最高裁の事件の控訴審である広島高等裁判所は、2004年7月9日「外国人の加害行為によって被害を受けた者が個人として加害者に対して有する損害賠償請求権は固有の権利であって、その属する国家が他の国家との間に締結した条約をもって放棄させることは原則としてできず、日本政府と中華人民共和国政府の共同声明第5項は、そこに明記されていない同国国民個人の有する損害賠償請求権の放棄までも含むものではない」として、加害企業である西松建設に対し、強制動員被害者に対し、1人当たり550万円の支払いを命じています。私は、この広島高裁の判決の方が最高裁の判決より説得力があると考えています。

安倍首相の国会答弁や河野外務大臣の発言が、元徴用工個人の賠償請求権は完全に消滅したという意味であれば、日本政府のこれまでの見解や日本の最高裁判所の判決への理解を欠いた答弁であり、完全に誤っているといわねばなりません。

4. 強制動員問題に関しての日弁連と大韓弁護士協会との交流・連携・成果

弁護士・弁護士会は、基本的人権の擁護と社会正義の実現を使命とする職業集団です。そうであれば、重大な人権侵害問題である強制動員被害問題は当然、弁護士・弁護士会において取り組まねばならない課題であると言えます。

私が日本弁護士連合会（日弁連）の会長を務めていた当時、日弁連と大韓弁護士協会（大韓弁協）は、日本国による植民地支配下での韓国民に対する人権侵害、特にアジア太平洋戦争時の人権侵害による被害と被害回復に関し、ソウルと東京で共同シンポジウムを開催し、そのシンポジウムの成果を踏まえて、2010年12月11日、日本軍「慰安婦」問題や強制動員問題の被害救済に向けて「共同宣言」を発表しています。

この共同宣言の中における強制動員被害救済に関する部分は、以下のような内容です。

「⑤われわれは、1965年の日韓請求権協定の完全最終解決条項の内容と範囲に関する両国政府の一貫性がない解釈・対応が、被害者らへの正当な権利救済を妨げ、被害者の不信感を助長してきたことを確認する。

　このような事態を解消するために、日韓基本条約等の締結過程に関する関係文書を完全に公開して認識を共有し、実現可能な解決案の策定をめざすべきであり、韓国政府と同様に、日本政府も自発的に関係文書を全面的に公開すべきことが重要であるという認識に達した。
　⑥韓国においては、強制動員による被害の救済のために、強制動員被害の真相究明及び支援のための法律が制定されたが、日本政府においても真相究明と謝罪と賠償を目的とした措置をとるべきである。
　さらにわれわれは、2007年4月27日に日本の最高裁判所が、強制動員にかかわった企業及びその関係者に対し、強制動員の被害者らに対する自発的な補償のための努力を促したことに留意しつつ、既に自発的な努力を行っている企業を評価するとともに、他の企業に対しても同様の努力を行うよう訴える。

　この際、想起されるべきは、ドイツにおいて、同様の強制労働被害に関し、ドイツ政府とドイツ企業が共同で「記憶・責任・未来」基金を設立し、被害者の被害回復を図ったことである。韓国では、真相究明委員会が被害者からの被害申告を受け被害事実を審査していることから、同委員会とも連携し、日韓両国政府の共同作業により強制動員被害者の被害回復を進めることも検討すべきである。」

また、今年2019年の4月20日には東京において、日弁連と大韓弁協は共催で『戦争及び植民地支配下の人権侵害の回復と平和構築に向けて』と題する共同シンポジウムを開催していますが、元徴用工問題・強制動員問題に関し日韓関係が最悪な状況となっている現状を考えれば、私は、日弁連と大韓弁協は、現時点における強制動員問題に関する新たな「共同宣言」を発表するなどして、この問題の解決に向けて共同行動を行うべきではないかと考えています。

5．現在の日韓対立について

日本政府は、7月4日フッ化水素など半導体材料3品目について輸出規制を強化したのに続き、8月2日輸出手続き簡略化の優遇措置を受けられる対象国（「ホワイト国」）から韓国を除外する政令改正を閣議決定しました。

世耕弘成経済産業相は閣議後の会見で「あくまでも韓国の輸出管理や運用が不十分なことを踏まえた運用見直しだ」「もともと日韓関係に影響を与える意図はなく、何かへの対抗措置でもない」と述べていますが、一連の経過を見れば、今回の輸出規制措置が元徴用工問題をめぐる韓国への報復措置であることは明らかです。

私は韓国に対する報復的な輸出規制をただちに撤回すべきであると考えています。そして元徴用工問題に関しては、日本政府は過去の植民地支配を真摯に反省した上で、韓国政府と協力して強制動員被害者の被害救済を図るべきだと考えています。

また、現在日韓関係は過去最悪な状況となっていますが、このような時だからこそ、市民間の交流、民間レベルの交流は重要であり、交流を閉ざすべきでないと考えています。

6．強制動員問題の解決策〜当事者が生きている間に早急な謝罪と賠償を

強制動員問題が重大な人権侵害問題であることが明らかになってきたのは、１９９０年代に入り当事者である強制動員被害者が勇気を出して声を上げるようになったからです。強制動員被害者らは、被害の回復を求めて、損害賠償請求訴訟を提起して日本の裁判所や韓国の裁判所で闘い続け、ついに２０１８年10月30日韓国大法院で勝利判決を勝ち取りました。

私は、この間、自らの名誉と尊厳の回復を求めて闘ってこられた強制動員被害者の皆さんと、強制動員被害者を支援してきた弁護士・弁護団、市民団体に対し、心より敬意を表するものです。

強制動員被害問題の真の解決のためには、被害者が納得する解決内容であることが必要です。被害者が受け入れることができない国家間の合意は、いかなるものであれ真の解決とはなり得ません。

強制動員問題の本質が人権侵害問題である以上、なによりも、被害者個人の被害が回復されなければなりません。そのためには、新日鉄住金（現日本製鉄）、三菱重工業など日本企業が韓国大法院判決を受け入れるとともに、自発的に人権侵害の事実と責任を認め、その証として

謝罪と賠償を含めて被害者が受け入れることができるような行動をとることが必要です。

例えば、中国人強制動員被害事件である花岡事件、西松建設事件、三菱マテリアル事件などでは、訴訟を契機に、日本企業が事実と責任を認めて謝罪し、その証として企業が拠出して基金を設立し、被害者全員の救済を図ることで問題を解決した例があります。そこでは、被害者個人に対する金銭の支払いのみならず、受難の碑ないし慰霊碑を建立し、毎年中国人被害者等を招いて慰霊祭等を催すなどの取り組みが、行われてきています。

新日鉄住金（現日本製鉄）をはじめとする日本企業は、元徴用工の被害者全体の解決に向けて踏み出すべきです。それは企業としても国際的信頼を勝ち得て、長期的に見れば企業価値を高めることにもつながります。また、日本の経済界全体としても日本企業のこのような取り組みを支援することが期待されます。

強制動員問題に関しては、過酷な労働環境の下で朝鮮人労働者を働かせた日本企業に賠償責任が発生するのは当然のことですが、日本政府・日本国の責任も問題となります。なぜなら、強制動員問題は、１９１０年の日韓併合後朝鮮半島を日本の植民地とし、日中戦争・アジア太平洋戦争が拡大する中で、日本政府による戦時体制下の労働力確保政策が実施される中で発生した問題であるからです。

このようなことを考えれば、日本政府は日韓請求権協定を持ち出して日本企業の解決に向けた取り組みを抑制・妨害するのではなく、むしろ自らの責任をも自覚した上で、韓国政府と協力して強制動員問題の真の解決に向けた取り組みを支援すべきです。また、強制動員被害者らが高齢になっていることを考えれば、強制動員被害者らが生きている間に何としても解決する必要があると考えます。

ナチス・ドイツによる強制労働被害に関しては、2000年8月ドイツ政府と約6400社のドイツ企業が「記憶・責任・未来」基金を創設し、これまでに約100カ国の166万人以上に対し約44億ユーロ（約7200億円）の賠償金を支払ってきています。このようなドイツ政府とドイツ企業の取り組みこそ、日本政府や日本企業は見習うべきであると考えます。

7.「記憶の継承」の重要性

強制動員被害者に対する心からの謝罪と賠償は強制動員問題解決の終わりでなくその第一歩です。再び同じような反人道的な人権侵害を繰り返さないためには、被害者に対する謝罪と賠償に止まらず、さらに「記憶の継承」を行うことが求められています。そして、この「記憶の継承」は加害国である日本や日本国民にとってより重要な課題となると考えます。

リヒャルド・フォン・ワイツゼッカー元西ドイツ大統領は、第2次世界大戦後40年にあたる1985年5月8日連邦議会で行った〝荒れ野の40年〟と題する演説の中で「問題は過去を克服することではありません。さようなことができるわけはありません。後になって過去を変えたり、起こらなかったことにするわけにはまいりません。しかし過去に目を閉ざす者は結局のところ現在にも盲目となります。非人間的な行為を心に刻もうとしない者は、またそうした危険に陥りやすいのです」と述べています。

　ドイツではワイツゼッカー元大統領の演説に象徴されるように、徹底して過去と向き合い、戦争責任、加害者責任の追及が行われてきています。首都ベルリンのもっとも目立つ場所にナチスに殺された600万人以上のユダヤ人のための追悼モニュメントがあります。このモニュメントには、ナチスの犯罪を忘れず若い世代に語り継いでいくというドイツ人の決意が表されています。

　私は、このような第2次大戦後のドイツの歩みを日本も学ぶべきだと考えています。私は、強制動員被害者をはじめとするアジア太平洋戦争時の人権侵害被害者に対する心からの謝罪と賠償に加えて、再び同じような誤りを犯さないためにも、「記憶の継承」のために、徹底した教育や広報を行うとともに、慰安婦の少女像や徴用工像を日本の国会議事堂の前にこそ、設置すべきであると考えています。

第一章

朴槿恵（パク・クネ）政権を退陣させ文在寅（ムン・ジェイン）政権を誕生させたろうそく市民革命

一．ろうそく市民革命の概要

朴槿恵（パク・クネ）大統領を退陣させた韓国の市民運動は、全国各地でろうそく（キャンドル）を掲げた集会が行われたことから「ろうそく市民革命」とも「キャンドル市民革命」とも呼ばれている。

ろうそく市民集会は２０１６年10月29日から２０１７年３月11日にかけて毎週土曜日20回の集会が行われ、全国70都市で２３００余の社会団体が参加し、集会参加人数は約１６５０万人、韓国の人口の32・８％が参加したと言われている。実に韓国国民の３人に１人が参加したことになる。

20回の集会のうちもっとも多くの市民が参加した集会は２０１６年12月３日の集会であった。この集会には、全国で２３２万人が参加し、ソウル市内の光化門広場での集会には１７０万人が参加している。ソウル市以外では、釜山市20万人、光州市15万人、大田市６万人、大邱市５万人など全国70都市で62万人が参加している。

参加者の傾向について韓国のマスコミが調査したところ、「リベラル系」と答えた市民が39％、「中道」と答えた市民が19・４％、「保守」と答えた市民が17・３％であったということである。

日本でいえば、国会前の安倍晋三首相退陣を求める集会に自民党支持者が多数参加していたということになる。

また、参加した市民の中には、市民運動活動家や労働運動活動家など何らかの組織活動に関与していた市民ももちろん含まれていたが、圧倒的多数の参加者は未組織の市民であったということである。また、大規模な社会運動の経験のなかった世代や、一度も集会に参加したことのなかった個人が大多数であった。参加者の中には「一人で来た人々」「カブトムシ研究会」というようなプラカードを掲げて参加した市民もいたということである。

朴元淳（パク・ウォンスン）ソウル市長は、岩波書店が発行している雑誌『世界』の2017年8月号に寄稿した論文「『キャンドル』が変えたこと変えるべきこと」の中で、「私もまた、その広場にいた。ある日、恩平区（ソウル市北西部）で食堂をしているおばさんの演説ならぬ演説を聞いて衝撃を受けた。食堂は土曜が一番忙しいが、こういう国を子供らに譲り渡すことができないと思って参加したという。どんな政治家の演説よりも立派だった。正確な問題意識と目標をもっていた。『ただ食べて生きるだけ』を超える共同体的な価値を志向する暮らし、その暮らしが醸し出す新鮮さとウィットは、私を含めた市民仲間を感動させた。広場では地域や階層、年齢層を網羅する多様な市民の出現が見られた。実に偉大な『市民』の誕生だった。」と述べている。

日本の市民運動をみると、リベラル系の市民が中心となった運動が大半であり、「中道」や「保守層」を巻き込んだ運動は、沖縄を除けば皆無である。

また、リベラル系の市民運動をみると、特定の政党の影響下にある市民団体が多く、無党派や未組織の市民が中心となった市民運動が少ないのが日本の市民運動の特徴である。

韓国の市民運動や沖縄の市民運動に学びながら、どうやって無関心層、無党派層の市民まで、あるいは中道層や保守層の市民まで運動を広げていくかが、日本の市民運動の大きな課題となっていると言える。

二．ろうそく市民革命の背景

1．崔順実（チェ・スンシル）ゲート事件

（1）国政の私物化疑惑

ろうそく市民革命の直接的契機となったのは、2016年10月に表面化した朴槿恵（パク・クネ）大統領とその友人で実業家の崔順実（チェ・スンシル）を中心とした政治スキャンダルである。これは崔順実ゲート事件と呼ばれているが、公式的な名称は「朴槿恵政府の崔順実などの民間人による国政壟断疑惑事件」である。

このとき問題となった疑惑は、次のようなものである。

①大統領側近による機密漏洩疑惑問題

大統領府付属秘書官を務めていたチョン・ホソンが崔順実（チェ・スンシル）に対して政府高官の人事案など180件の情報を流していた。崔順実に大統領の演説草稿や閣議での発言などに関するファイルが秘密裏に届けられ、朴槿恵（パク・クネ）は崔順実の指南を受けていたとされる。2016年10月25日に朴槿恵大統領は機密性の高い内部文書を民間人に提供していたことを認め、国民に謝罪した。

この疑惑をめぐっては、チョン・ホソンがメールやファックスなどを使って崔順実に外交文書や政府人事などの重要書類を送っていたとして公務上秘密漏洩罪に問われている。

②ミル財団等への出資強要問題

大統領府政策調整主席秘書官を務めていた安鐘範（アン・ジョンボム）が、韓国の経済団体「全国経済人連合会」の会員企業に対し、崔順実が私物化していたとされるミル財団及びKスポーツ財団への設立資金拠出を強要したのではないかとする疑惑である。この疑惑を巡っては、崔順実が職権濫用、強要、強要未遂、詐欺未遂の罪に問われ、安鐘範が職権濫用、強要、強要未遂の罪に問われている。

③サムスン物産合併への介入疑惑問題

サムスングループ副会長を務める李在鎔（イ・ジェヨン）がサムスングループでの経営支配

強化のための企業再編で大統領府の支援を受けたという疑惑である。李在鎔は第一毛織の大株主で、サムソン電子への影響力を拡大するために、サムソン電子株を多く保有するサムソン物産と第一毛織との合併を進めたい思惑があったとされている。第一毛織との合併に関しては、サムソン物産の大株主だった国民年金公団が賛成票を投じ、2015年7月にサムソン物産と第一毛織は合併したが、国民年金公団が賛成票を投じた経緯が不透明で大統領府側が影響力を行使したのではないかといわれている。サムソングループは崔順実側に255億ウォンを拠出している。

④ロッテ免税店事業権獲得への介入疑惑問題

ミル財団及びKスポーツ財団への資金の拠出がロッテ免税店の認可を得る見返りに行われたのではないかという疑惑である。ロッテ免税店は崔順実が私物化していたとされる財産に28億ウォンを出資している。

⑤ハンファグループ会長釈放に対する介入疑惑問題

2014年2月のハンファグループ会長の金升淵（キム・スンヨン）の横領背任事件の差し戻し控訴審を前に、金の夫人とグループ経営陣が2013年末から崔順実に執行猶予により釈放されるよう要請したとされる疑惑である。ハンファグループは崔順実が私物化していたとされる2つの財団に対して2015年10月と2016年1月に合計25億ウォンを出資している。

⑥親族の不正入学・不正単位取得疑惑問題

崔順実の娘が梨花女子大学の入試担当の教授から意図的に高得点を与えられて不正入学し、入学後も一部の教授から便宜を受けて単位を不正に取得していたとされる疑惑である。韓国教育部は不正入学と不正な単位取得について認定する監査結果を発表し、これらに加担していた大学教授らを刑事告発している。

⑦その他の疑惑

これらの疑惑のほかにも、崔順実の姪のチャン・シホがスポーツ選手育成を目的とする民間団体の資金を横領していたとされる疑惑、韓国の「国民体操」として膨大な振興予算が投じられたヌルプム体操が崔順実や映像プロデューサーのチャ・ウンテクの利権あさりの対象になっていたのではないかという疑惑、文化体育観光部第二次官を務めていた金鐘（キム・ジョン）が水泳選手の朴泰桓などに圧力をかけ、意に沿わない選手の排除に動いていたという疑惑などがあった。

(2) 朴槿恵前大統領らに対する刑事裁判

2017年3月10日、大韓民国憲法裁判所が朴槿恵大統領に対する弾劾裁判について、8名の裁判官全員一致で『弾劾は妥当』とする決定を下した。これにより朴槿恵は大統領職を罷免された。そして、同年3月30日深夜に逮捕され、収賄のほか国家権力の濫用、国家機密の漏洩などの罪で起訴された。

その後、2018年4月6日、ソウル中央地方裁判所は、朴槿恵前大統領に対し、懲役24年、罰金180億ウォン（約18億円）を言い渡している。収賄の罪、職権乱用罪、強要罪など、罪状は計18件に上っている。

また、2018年8月24日、ソウル高等裁判所は、朴槿恵前大統領に対する懲役24年、罰金180億ウォンとした1審判決を破棄し、懲役25年、罰金200億ウォン（約20億円）を言い渡している。

さらに、2019年8月29日、韓国大法院（最高裁）は、朴槿恵前大統領に対し懲役25年、罰金200億ウォンとした2審判決を破棄し、審理をソウル高裁に差し戻している。1、2審判決で他の罪と区別して判決を出すべき収賄罪の案件を分離せず、法に違反したと判断したという理由である。今後、分離して判決を出す場合、朴被告の量刑はさらに重くなる可能性が高いと言われている。

また、韓国大法院は同日、2審で懲役20年、罰金200億ウォンとされた崔順実被告と、贈賄側として2審で懲役2年6月、執行猶予4年の判決を受けたサムスングループ経営トップでサムスン電子副会長の李在鎔（イ・ジェヨン）被告についても2審判決を破棄し、審理をソウル高裁に差し戻している。2審と違って、李被告が崔順実の娘に提供した乗馬用の馬など50億ウォン相当を賄賂だと認定した。李被告は2018年2月に執行猶予付きの2審判決を受けて釈放されているが、差し戻し審で実刑とされ、再び拘束される可能性があると言われている。

ろうそく市民革命のもうひとつの契機となったのは、2014年4月16日に発生したセウォル号が沈没した事件である。

2．セウォル号沈没事件

2014年4月16日大型旅客船「セウォル（世越）」号が全羅南道珍島郡の観梅島沖海上で転覆・沈没した。

セウォル号には修学旅行中の京畿道安山市の檀園高等学校2年生の生徒325人と引率の教員14人のほか、一般客108人、乗務員29人の合計476人が乗船していた。この沈没事故により乗員・乗客の299人、行方不明者5人、捜索作業員8人が犠牲となる大惨事となった。事故後に「その場を動かないでください」という船内放送が繰り返されたことで、修学旅行中の高校生など多数が逃げ遅れ犠牲者が増えた。さまざまなビデオ映像や携帯電話記録から、生存している高校生を乗せたまま沈没する船の光景や船長・乗組員が乗客を見捨てて救出される様子が報道され、大きな衝撃を与えることになった。

事故直後から政府の対応に批判が噴出し、朴槿恵政権を揺るがす大問題に発展し、朴槿恵大統領の支持率は一気に降下し、政権にとって大打撃となった。セウォル号沈没事件が発生した当日、朴槿恵大統領の動静がはっきりしていない「いわゆる空白の7時間」疑惑が問題となった。

希望のまち東京をつくる会とうつけんゼミのゼミ生総勢17人が、2017年10月29日から11

光化門広場からセウォル号事故真相を求めるテントで
パク・レグンさんと（2017年11月1日）

月1日にかけて「韓国スタディツアー」を行った際、私たちは光化門広場にある「セウォル号事件真相を求めるテント」でセウォル号事件の遺族と市民団体で構成された「4・16国民約束連帯」の共同代表を務めるパク・レグンさんからセウォル号事件に関する話を聞いた。

パク・レグンさんは、人権財団「ひと」の所長であり、１９８０年代から学生運動や労働運動に携わり、「光州事件」に対し抗議をして自殺した弟の死をきっかけにして、遺族としての人権運動にかかわって30年になる。パク・レグンさんの弟崇実大生パク・レヂョンさんは、１９８８年「光州は生きている」と叫びながら、崇実大学の学生会館屋上で焼身自殺している。25歳であった。

パク・レグンさんは、運動のたびに逮捕され服役し、セウォル号事件の抗議活動でも逮捕・起訴されている。現在も韓国の様々な活動団体および活動家たちの支援をしている。

人権財団「ひと」は、人権の心強い支えとなり、種をまき、普及するため、２００４年に設立された。2013年には、民間初の「民間人権センター」をオープンし、人権活動家と団体に空間を提供するほか、一般市民にも人権についての議論と教育を提供する場となっている。

セウォル号に乗っていた476人のうち、325人は修学旅行中の檀園高等学校の生徒だった。生徒達が携帯で撮影した画像には、船が傾いているにもかかわらず、そのままじっとしていろと言われ、誰も助けられなかった様子が写っていた。

事故の翌日、朴槿恵大統領は現場を訪れたが、現場にいながら陣頭指揮をとらず、救助しようとしない、むしろ救助の試みさえ妨害したが、マスコミを通じて「史上最大の救出策をとっている」と発表した。

こうした政府の対応を目の当たりにした行方不明者の家族たちが、救出活動を要請するため青瓦台（韓国大統領府）まで抗議に行ったのが、「4・16国民約束連帯」の始まりだった。ところが、家族たちが乗ったバスが止められ、バスを降りて歩いて青瓦台に向かっていた家族は、警察に妨害された。

なぜセウォル号は沈んだのか、真相究明を求める活動が続けられた。デモ行進、座り込み、46日間断食、生き残った高校生たちによる抗議活動などが行われ、「4・16国民約束連帯」が中心となり「真相究明特別法」の制定を求め、全国600万人を超える署名を国会に提出した。

政府は、「お金の保障をしたのだから」と遺族を侮辱し、抗議活動に対する妨害や弾圧を繰り返した。1年が経ち、真相究明の法律はできたが、政府によって調査が妨害され、セウォル号が引き揚げられることはなかった。

事故後2年目になると調査機関が解散される危険性が高まり、強い抗議活動を行ってきた。

２０１６年10月29日に始まった朴槿恵大統領の弾劾を求めるソウル市内のろうそく市民集会には１００万人以上の市民が集まったが、その最前列にはいつもセウォル号事件の遺族たちが並んでいた。２０１６年12月９日朴槿恵大統領の弾劾が国会で認められ、２０１７年３月10日憲法裁判所の罷免決定により朴槿恵大統領が退陣した後の２０１７年３月24日、ようやくセウォル号は引き揚げられた。

光化門広場にある「セウォル号事故真相を求めるテント」は、ソウル市から場所を提供され、市民が運営している。責任者は「４・16国民約束連帯」だ。今でも、広報活動や署名活動などをする拠点になっている。

セウォル号の事故は、遺族たちが真相究明を求めて政府に働きかけたことで船の引き揚げにつながった。この成果から、遺族たちは大きな自尊心や自信を得ることができた。

この事故をきっかけに、遺族たちは「忘れない」「じっとしていない」「４・16以前とは違う社会をつくる」という３つの約束をした。

市民の意識も大きく変わった。企業の利益だけを追求する経済至上主義がいかに危険かということに気がついた。パク・レグンさんは、このような悲劇をおこさないよう、安全や生命を尊重する社会を求めて、これからも運動を展開していくつもりだと語っている。

三．ろうそく市民革命の成果

1．国会で朴槿恵大統領弾劾訴追案の可決（2016年12月9日）

2016年10月29日から始まったろうそく市民集会には全国で約1650万人もの市民、韓国国民の3人に1人が参加した。しかも、このろうそく市民集会には、リベラル派だけでなく、中道・保守の市民も大量に参加している。この歴史的なろうそく市民集会は、韓国の国政にも大きな影響を与えることになった。

ろうそく市民集会は、まず、2016年12月9日、国会が朴槿恵大統領弾劾訴追案を可決するという成果につながった。

韓国国会の議員定数は300人であるが、大統領弾劾訴追案は、国会議員の3分の2以上つまり200人以上の国会議員が賛成しないと、弾劾訴追案は可決されないことになっている。したがって、野党議員の賛成だけでは弾劾訴追案は可決できず、どうしても与党セヌリ党の議員の一部が弾劾訴追案の賛成に回らなければ弾劾訴追案は可決されない。

しかしながら、ろうそく市民集会には、「中道」「保守」系の市民も多数参加していたことで、与党議員にも影響を与え、与党が分裂し、与党議員の一部が弾劾訴追案賛成に回り、弾劾訴追案は可決されたのである。

２０１６年12月9日、韓国国会では議員定数３００人のうち２９９人が参加し、弾劾訴追案は、賛成２３４人、反対56人、棄権２人、無効７人で、賛成が可決に必要な3分の2を超え、可決された。

２．憲法裁判所による朴槿恵大統領罷免決定（２０１７年３月10日）

国会で可決された朴槿恵大統領弾劾訴追は憲法裁判所で審議されることになった。

韓国の憲法裁判所の裁判官は９人で、３人は大統領が直接指名し、任命する。残る６人のうち、３人は国会、３人は大法院長（日本の最高裁長官に相当）が選び、大統領が任命する。任期は６年で、法律の違憲決定や大統領弾劾決定、政党の解散決定には裁判官６人以上の賛成が必要となる。

従って、憲法裁判所の裁判官の中には、李明博（イ・ミョンバク）政権や朴槿恵政権下で憲法裁判所の裁判官に任命された裁判官も存在していたにもかかわらず、２０１７年３月10日憲法裁判所は、朴槿恵大統領の罷免を裁判官８人（定員９人、１人欠員）全員一致で決定し、朴槿恵大統領は即日失職した。このような憲法裁判所の大統領罷免決定にも、全国的に盛り上がった歴史的なろうそく市民集会が大きな影響を与えたものと思われる。

これにより、韓国憲法（第六共和国憲法）に従って罷免日である3月10日から60日以内に大統領選挙が行われることになった。これを受けて、韓国政府は3月15日の臨時閣議において、２０１７年５月９日に「第19代大統領選挙を執行する」ことを決定し、布告した。

３．大統領選挙で文在寅（ムン・ジェイン）候補が当選（２０１７年５月９日）

朴槿恵大統領が退陣した後、２０１７年５月９日に行われた大統領選挙では、文在寅（ムン・ジェイン）候補が全国で１３４２万３８００票、得票率41・08％を獲得し、２位の自由韓国党の洪準杓（ホン・ジュンピョ）（７８５万２８４９票、得票率24・03％）に大差をつけて当選し、翌５月10日第19代大統領に就任した。

文在寅は、北朝鮮からの避難民の息子として生まれ、弁護士として市民運動や人権活動に参加した後、盧武鉉（ノ・ムヒョン）政権では、大統領側近として活躍した。ソウル市長の朴元淳（パク・ウォンスン）も弁護士であるが、司法研修院（日本の司法研修所）では文在寅と同期だったということである。

したがって、現在の韓国では人権派弁護士の一人が大統領となり、人権派弁護士の一人が首都ソウルの市長になっているわけである。

文在寅大統領の人となりについては、２０１８年10月４日岩波書店から出版された『運命文在寅自伝』を読むとよくわかる。

四．文在寅政権の誕生と朝鮮半島情勢の変化

文在寅政権が誕生する以前において、北朝鮮との南北首脳会談は、二度行われている。一度目は、２０００年６月13日から６月15日にかけて、平壌において金大中（キム・デジュン）大統領が金正日（キム・ジョンイル）総書記と首脳会談を行っている。二度目は、２００７年10月２日から10月４日にかけて盧武鉉（ノ・ムヒョン）大統領が平壌で金正日総書記と首脳会談を行っている。

盧武鉉大統領が南北首脳会談を行った時の政権ナンバー2の大統領秘書室長が文在寅であった。したがって、文在寅は、二度目の南北首脳会談を裏方として仕切っていたのである。この時に、北朝鮮側との間でさまざまな人脈が築かれたと思われる。

したがって、文在寅が大統領に当選した直後から南北首脳会談に向けての準備作業が行われたと推測される。

1．平昌（ピョンチャン）オリンピックにおける南北統一チームの結成

２０１８年２月９日から２月25日まで韓国の平昌でオリンピック冬季競技大会が開催された。

２０１８年１月１日北朝鮮の金正恩（キム・ジョンウン）が「新年の辞」において平昌冬季五輪に北朝鮮代表団を派遣する用意があるとの声明を出した。これを受けて１月９日に南北閣僚級会談が行われ、北朝鮮が平昌冬季五輪に参加することが正式に発表された。

平昌オリンピックの開会式では統一旗を掲げて韓国と北朝鮮選手団の合同入場行進が行われ、アイスホッケーで南北合同チームが結成された。

平昌の燐肥区に北朝鮮が参加する中で、一気に南北融和ムードが高まり、板門店での南北首脳会談につながった。

2. 南北首脳会談の開催

平昌オリンピック後の南北融和ムードの高まりを受けて文在寅政権になってこれまでに三度の南北首脳会談が行われている。

一度目は、２０１８年４月27日に板門店の韓国側施設「平和の家」で行われた。

北朝鮮の首脳が軍事境界線を越えて韓国側入りしたことは史上初のことである。

この南北首脳会談で、韓国の文在寅大統領と北朝鮮の金正恩朝鮮労働党委員長は、「完全な非核化を通じて核のない朝鮮半島を実現する」「年内に朝鮮戦争の終戦宣言をし、休戦協定を平和協定に転換するための会談を推進する」「南北の当局者が常駐する南北共同連絡事務所を北朝鮮の開城に設置する」「文大統領が今年の秋に平壌を訪問する」ことなどを明記した「板門店宣言」に署名した。

二度目の首脳会談は、2018年5月26日に、板門店の北朝鮮側施設「統一閣」で行われた。

三度目の首脳会談は、韓国の文在寅大統領が2018年9月18日から2泊3日の日程で平壌を訪問し、9月18日と19日に金正恩朝鮮労働党委員長と首脳会談を行っている。

9月19日に、非武装地帯をはじめとする対峙地域での軍事的な敵対関係終息を朝鮮半島の全地域での実質的な戦争の危険の除去と根本的な敵対関係の解消につなげていくこと、年内に南北を結ぶ東・西海線の鉄道および道路連結のための着工式を行うこと、条件が整い次第開城工業団地と金剛山観光事業を再開すること、金剛山地域の離散家族常設面会所を早いうちに開所すること、東倉里エンジン試験場とミサイル発射台を関係国専門家たちの参観の下に優先して永久的に廃棄すること、金正恩が近い日時にソウルを訪問すること、などを内容とする共同宣言を発表している。

3. 米朝首脳会談の開催

韓国と北朝鮮の南北首脳会談が橋渡しとなって、2018年6月12日シンガポールで、トランプ米大統領と金正恩朝鮮労働党委員長による初の米朝首脳会談が行われた。

このときの米朝首脳会談では、①アメリカ合衆国と朝鮮民主主義人民共和国は、平和と繁栄を求める両国国民の希望に基づき、新たな米朝関係の構築に取り組む、②アメリカ合衆国と朝鮮民主主義人民共和国は、朝鮮半島での恒久的で安定的な平和体制の構築に向け協力する、③２０１８年４月27日の「板門店宣言」を再確認し、朝鮮民主主義人民共和国は朝鮮半島の完全な非核化に向け取り組む、④アメリカ合衆国と朝鮮民主主義人民共和国は、朝鮮戦争の捕虜・行方不明兵の遺骨回収、既に身元が判明している遺体の帰還に取り組む、などを内容とする共同声明が発表された。

２０１９年２月27日、28日に、ベトナム社会主義共和国の首都ハノイで２回目の米朝首脳会談が行われた。この時の首脳会談では、北朝鮮の非核化と経済制裁の解除をめぐり、米朝の溝が埋まらず、合意文書の署名は見送られた。しかしながら、完全な決裂ではなく、米朝とも引き続き交渉を進めていく考えを示している。

２回目の米朝首脳会談後、米国国防省は３月２日、米韓両軍が毎年春に実施している二つの大規模な合同軍事演習を中止すると発表している。北朝鮮との緊張緩和のための措置と見られている。２０１９年６月30日には板門店で３回目の米朝首脳会談が行われている。

4．朝鮮半島情勢の変化

韓国に文在寅政権が誕生する前年（２０１６年）は、北朝鮮はミサイルの発射実験を15回も繰り返し、「水爆実験」と称する６回目の核実験を強行したため、一時は米国との軍事衝突の危険性までささやかれ朝鮮半島の緊張が高まっていた。しかしながら、文在寅政権の誕生により、朝鮮半島の情勢は劇的に変化したと言える。

韓国と北朝鮮は、1950年に勃発した朝鮮戦争で戦火を交え、1953年の休戦協定で停戦してから67年近く経とうとしているが、国際法上は現在も戦争状態が続いていることになっている。

朝鮮戦争では、韓国軍、米軍を含む国連軍、北朝鮮軍、中国軍、南北の民間人合わせて数百万人が犠牲になったといわれている。とりわけ、北朝鮮と韓国は同じ民族同士が戦ったわけで、もう二度と戦争はしたくないと思っているのは、北朝鮮と韓国の国民の偽らざる気持ちだと思われる。

朝鮮半島の南北分断は、日本の植民地支配が分断の遠因となり、米国、中国、旧ソ連などの大国の利害が分断を固定化させることにつながった。

安倍首相は、韓国に文在寅政権が誕生してからも、「対話のための対話は無意味」「北朝鮮の微笑外交に騙されるな」などと繰り返し、南北の対話の動きに水を差し、朝鮮半島の緊張緩和に全く貢献することができなかった。日本の植民地支配が朝鮮半島の南北分断の遠因になっていることを考えれば、また日本が世界で唯一の被爆国であり、戦争を放棄し軍備と交戦権を否認する憲法9条を有する国であれば、日本政府は朝鮮半島の緊張緩和と非核化に向けて、もっと主体的で建設的な平和・自主外交を行うべきだと思う。

5. 統一地方選における「共に民主党」の圧勝

韓国の第7回統一地方選は、2018年6月13日に行われた。前日に初の米朝首脳会談がシンガポールで行われたことも影響してか、文在寅大統領の与党「共に民主党」が圧勝する結果となった。保守党の自由韓国党(「セヌリ党」が2017年2月8日に党名変更)は壊滅的大敗を喫した。

韓国の統一地方選は、韓国における地方自治体である広域自治体(特別市・広域市)、道の団体長(市長・知事)と議会議員、基礎自治体(一般市、郡、特別市・広域市の区)の団体長(市長・郡守・区長)と議会議員、17市道の教育監(日本の教育長に相当)を全面改選するために行われる選挙である。日本の統一地方選といえる。

広域自治体の道知事および特別市・広域市の市長選の結果は、与党「共に民主党」の候補者が、9道中7道で、8市の特別市・広域市の市長選では、7市で当選している。野党第1党の自由韓国党は1道(慶尚北道)、1市(大邱市)のみの当選にとどまっている。なお、済州道の知事選では、保守系無所属の候補者が当選している。

また、広域自治体の議会議員選挙では、定数824人中、共に民主党が652人(79・1%)当選し、自由韓国党は137人(16・6%)の当選にとどまっている。このうち、共に民主党は、京畿道は定数129人中128人が、仁川市は定数33人中32人が、大田市は定数19人中19人が当選している。また、伝統的に保守が強固であった釜山市議選でも、定数42人中38

人が当選して圧勝している。

さらに、基礎自治体の市長・郡守・区長選では、定数226人のうち、共に民主党は151の自治体で当選している。自由韓国党は53人にとどまっている。基礎自治体の議会議員選挙では、共に民主党が1638人（55・9％）当選したが、自由韓国党は1009人（34・4％）にとどまっている。

広域自治体の17人の教育監（日本における教育長に相当）の選挙では、進歩派が14人、保守派が2人、中道が1人当選している。

また、統一地方選と同時に行われた12人の国会議員の再選挙・補欠選挙でも、共に民主党が11人当選し、自由韓国党は1人にとどまっている。

ソウル市長選挙では、現職で共に民主党の朴元淳市長が圧勝した。また、ソウル市にある25区の区長選挙でも、24区で共に民主党の候補者が当選し、保守系の当選は瑞草区の1区だけにとどまっている。また、定数110人のソウル市議選でも、共に民主党102人、自由韓国党6人、未来党1人、正義党1人がそれぞれ当選し、共に民主党が圧勝している。

統一地方選の投票率は60・2％で過去2番目に高い投票率、4年前の前回は56・8％となっている。ろうそく市民革命による文在寅政権の誕生、南北融和の動きなどが影響して若い世代の投票が増加している。高い投票率や若い世代の投票率が増加したことなども、共に民主党の圧勝につながっていると思われる。

第二章　ソウル市の改革に学ぶ

一．朴元淳（パク・ウォンスン）ソウル市政の誕生

朴元淳は、韓国を代表する市民運動団体である「参与連帯」の創設者の一人である。また、弁護士でもあり、前述したとおり司法修習同期の弁護士には文在寅がいる。

1975年にソウル大学に入学したが、入学して数ヶ月後に朴正熙（パク・チョンヒ）政権に反対する学生運動に関連して緊急措置違反で拘束され、大学を除籍されている。

韓国の代表的な市民運動団体である「参与連帯」の創設に関与し、同連帯の執行委員長及び運営委員を務めている。また、自らが中心となって2006年に創設した市民運動団体の政策シンクタンク「希望製作所」の理事も務めている。

2000年12月の女性国際戦犯法廷（民衆法廷）では、韓国代表の検事として昭和天皇を10万人以上の韓国人女性を日本軍慰安婦として強制連行・虐待した罪で起訴している。

参与連帯の事務局長を務めていた2000年4月に行われた第16代総選挙においては、落選運動を主導した。このときは、参与連帯、環境運動連合、女性団体連合を中心とした全国数百団体が「総選挙連帯」を組織し、腐敗した政治家を対象として落選運動を行い、総選挙連帯が名前を挙げた86名の国会議員候補者のうち約68％を落選させている。とくに首都圏では90％以

2018年の光州「5・18記念式典」の前夜祭のデモンストレーションで朴元淳ソウル市長に出会う（2018年5月17日）

上を落選させている。

ソウル市では、無償給食の是非を問うため、2011年8月24日住民投票が実施されたが、投票成立に必要な投票率（全有権者の3分の1）を下回って不成立（未開票）となった。無償給食反対の立場から住民投票を推し進めてきた呉世勲（オ・セフン）ソウル市長は住民投票不成立の責任をとる形で、8月26日に市長を辞任したため、10月26日にソウル市長補欠選挙が実施されることになった。

2011年10月3日、ソウル市長補欠選挙の野党候補一本化のための予備選挙が行われた。選挙の結果、世論調査とテレビ討論で高い支持を得た無所属の朴元淳が52％以上の支持を得て、民主党候補の朴映宣（パク・ヨンソン）議員と民主労働党候補の崔圭曄（チェ・ギュヨブ）を押さえて統一候補に確定した。この結果、ソウル市長補欠選挙は与党ハンナラ党候補の羅卿瑗（ナ・ギョンウォン）（現在自由韓国党院内代表）と進歩系野党統一候補となった朴元淳による事実上の与野党一騎打ちとなった。

選挙戦では朴元淳が無党派層の支持を得て有利に戦いを進め、投開票の結果、羅卿瑗候補に7・2％約29万票の差をつけて当選を果たした。

二、「三大核心公約」の着実な実施

ソウル市長選を闘った時、朴元淳は「市民が市長だ」「堂々と享受できる福祉」「労働尊重都市ソウル」などをスローガンとして掲げた。そして「三大核心公約」として、①無償給食の実施、②ソウル市立大学の授業料の半額化、③非正規職の正規職化を掲げた。

ソウル市長就任後、朴元淳は、この三大核心公約を着実に実施してきている。

給食の無償化は、貧しい生徒だけを対象とする無償化（選別的福祉）ではなく、全ての児童生徒を対象とする無償化（普遍的福祉）を実施したので、児童生徒の中に差別や分断が生まれなかった。

また、ソウル市立大学の授業料が半額化されたので、それまでバイトに追われていた学生にサークル活動などをする余裕が生まれたということである。

朴元淳がソウル市長に当選した直後、清掃労働者（当時清掃労働者は派遣会社から派遣された派遣労働者であった）の一部に、政治家は選挙の時は聞き心地のよい公約を並べるが当選してしまったら自分の公約をすぐ忘れてしまうんだ、というような陰口を言う労働者がいたため、朴元淳は、当選後最初にソウル市庁舎に登庁する日の朝4時頃起床して清掃労働者と一緒になってゴミの清掃をしてから、ソウル市庁舎に登庁したというエピソードがある。朴元淳市長としては、当選しても自分の掲げた公約は忘れていないし、必ず実施するんだという意思を示したかったのだと思う。

朴市長は、「非正規職の正規職化」の公約を実行するために、青年ユニオンの活動家を「労働補佐官」に任用し、ソウル市役所で働く労働者の実態調査を行った上で、順次非正規職を正規化してきている。

3000人近くの清掃労働者に関しては、派遣労働者からソウル市が直接雇用する労働者に転換がなされた。ソウル市の直接雇用となり清掃労働者の賃金は上がったが、それまで派遣会社に支払っていた手数料を支払わなくてもよくなったため、ソウル市としての財政負担はかえって減少したということである。

それまで派遣労働者であった清掃労働者が直接雇用の労働者になったことから清掃労働者の意識も変化していった。

「昔であれば清掃労働者は仕事が終わったら姿が見えなくなってしまう存在だったが、今は堂々と庁舎内を歩く姿が見られるようになった」「決められたところの掃除をして終わりでなく、施設管理も含め、以前はやらなかったような仕事までやるようになった」「私たちの仕事は市民に対するサービス、誰かの命令に従って働くのではなく、自ら働く労働者だ。奴隷のように誰かの指示を受けて働くことから、自発的に働くようになった」などの声が聞かれるようになったとのことである。

三.「労働尊重都市ソウル」の労働政策

ソウル市では、非正職の正規化のほかにも、さまざまな労働者保護政策、労働者としての権利を守る政策を実施してきている。

ソウル市の労働政策は、労働者もソウル市民であり、ソウル市民の暮らしや生活を守るためには、労働者であるソウル市民の労働保護政策や労働者としての権利を守る政策を実施するのは当然だという考えから打ち出されたものである。

1.「ソウルアルバイト青年権利章典」の制定

2013年9月23日、ソウル市のブラックバイト対策として「ソウルアルバイト青年権利章典」が制定されている。

前文が格調高いので、ここで紹介する。

「青年たちにとってアルバイトは、社会で初めて自身の労働を通じて対価を得る意味のある労働である。我が青年にとってアルバイトは、好奇心や深い情熱を刺激し、真理を内包する意味のある労働として、楽しく学びのある労働でなければならない。また、青年の誰にとっても職場における労働の真正な意味は、憲法が保障する人間の尊厳と価値、そして労働基本権が実現し、私たち社会の未来における暮らしの価値を探る希望の過程を内包しなければならない。

しかし、今日のアルバイト青年は、職場で人格的に待遇されず、使用者から不当な待遇を受け、または使用者若しくは顧客から不快な言行を受けて、法定労働条件にも充たない低い賃金と休息のない仕事を強要される等否定的な経験を多くしている。そこで私たちは、この社会で青年たちが普遍的な人権の観点から人間らしい暮らしを享受できるよう、職場で差別されることなく正当な賃金及び待遇を受けて、快適で安心な労働環境の中で労働の大切な価値に気づき自我を成就することができるよう、この権利章典を宣言する。２０１３年9月23日」

ソウルアルバイト青年権利章典は、第1章「アルバイト青年の権利」、第2章「使用者の責務」、第3章「ソウル市の責務」から構成されている。

第2章「使用者の責務」の第11条「人格的で正当な待遇の保障」では、使用者の遵守事項について次のようにきめ細かく規定されている。

①同一事業場内の正規職員に比べて労働条件及び処遇において不合理に差別せず、暴言、暴

行、性的嫌がらせをしない。
②流通（販売）期限が過ぎて廃棄処分しなければならない食べ物を食事（間食）として提供せず、業務に必要な物品、作業服等は直接提供し、自社及び特定製品の購買を強要しない。
③配達職の場合、オートバイや車両等の管理及び保険加入は使用者が責任を負い、安全装備を提供する。
④業務と無関係に個人の私生活を侵害せず、使用者の私的な業務をやらせる等職務と無関係な作業指示を下さない。
そして、第12条「権利章典の公布及び備置の勧奨」では、使用者がアルバイト青年と労働契約を締結する際は「権利章典」を義務的に交付しなければならず、「権利章典」を事業場内の見えるところに備え置くよう勧奨している。

2．ソウル特別市生活賃金条例の制定

韓国では2016年1月現在、全国51の自治体で「生活賃金条例」が制定されている。

ソウル市は、2015年1月2日、広域自治体（道、特別市等）として初めて「生活賃金条例」を制定した。生活賃金条例は、日本の「公契約条例」とは違って、自治体とその関連機関が直接雇用する低賃金労働者を対象に、最低賃金より2割～3割程度高い賃金を設定するものである。ソウル市の場合、非正規職の正規職化政策を優先し、それを補う形で、あまりにも低

い最低賃金（全国一律）レベルをさらに引き上げるものである。そのために、適用対象は多くはないが、注目すべきことはこの「生活賃金」を民間委託契約や「ＭＯＵ（業界団体と自治体間の協約）」を通じて、民間部門で働く労働者にも拡張適用しようとしていることである。

3．脆弱階層労働者の保護政策

ソウル市は、脆弱階層労働者を、①女性労働者②青少年労働者③高齢者労働者④障がい者労働者⑤外国人労働者⑥零細事業労働者の６つの属性に分けて、それぞれの属性に応じた政策を打ち出している。また、「市民名誉労働オンブズマン」を25区に配置して無料労働相談を実施しているほか、市が発注している民間受託企業や請負企業の指導など、常に公共分野で率先して労働条件改善を進めている。

4．「ソウル特別市感情労働従事者の権利保護条例」の制定

韓国では悪質クレーム問題が近年、急浮上している。顧客との関係で起きる労働問題は「感情労働」という言葉で表現されている。

ソウル市が２０１６年１月７日制定した「ソウル特別市感情労働従事者の権利保護等に関する条例」では、感情労働は、「顧客対応など業務遂行過程において、自分の感情を抑えて、自分が実際感じる感情とは異なる特定の感情の表現をしないといけないこと」と定義されている。

条例では感情労働者を保護するために、暴言・暴行、無理な要求を通じて行うハラスメント行為、性的に不愉快な思いをさせる行為、感情労働従事者の業務を権力を持って妨害する行為などに対して、次のような措置を講じることを義務づけている。

①当該顧客からの分離または感情労働従事者が充分に休憩する権利を保障すること、②感情労働従事者に対する治療および相談を支援すること、③刑事告発または損害賠償など必要な法的措置を行うこと、④その他、感情労働従事者の保護に必要な措置をとること。

こうした措置をとったことで、条例制定の翌年には悪質クレームが前年比で95・2％減少したということである。

5．「青年手当」の創設

韓国で若者の就職難が深刻化している。ソウル市は、就職活動をしている青年を支援する制度として、毎月5万円を半年間支給するという「青年手当」という制度を2015年11月に創設した。

ソウル市の青年手当の支給状況は、2016年2831人、2017年4494人、2018年6338人となっている。

四.「チャットン」と呼ばれる出前福祉制度の創設

2012年ソウルの松坡（ソンパ）区で60歳の母と30歳代の娘2人が生活苦のために自殺するという事件が発生した。

この事件の後、ソウル市は「福祉安全政策が行き届かない死角地域を完全に解消する」という目標を掲げ、そのための具体的施策とし2015年7月から始まったのが、「訪ねていく洞住民センター」（チャットン）である。「洞」とは、区の下の行政区画の名称であり、一つの洞あたり1～4万人の住民がいる。

「チャットン」が当面対象にしたのが、①65歳以上の高齢者②出産世帯③生活保護受給者のどれかに該当する人たちである。

これまで一つの洞あたり2名しかいなかった福祉担当者を6～7名に増やし、看護師1名を加えた体制を作り、対象者の自宅を訪問するようになった。この結果、2割だった生活保護の捕捉率（生活保護を受ける権利のある人のうち実際に生活保護を利用している人の割合）が6割まで上昇した。日本における生活保護利用者は、厚生労働省の発表によれば、2018年12月時点で、164万2205世帯、214万5667人となっているが、わが国の生活保護の捕捉率は2~3割といわれているので、捕捉率が6割になったということは大変な成果といえる。正に「堂々と享受できる福祉」の実践である。

一般的に公務員というのは保守的で、決まったことしかやらないものだが、「チャットン」という取り組みを始めて実際に動いてみたら、訪問は地域住民から好評だったので、担当部門の枠を超えた支援のあり方のアイデアが公務員自ら出てくるようになったということである。また、住民からみると、行政は「手続きに行くところ」から「困ったら行くところ」に変わったということである。さらに、一部の地域では、住民自ら近所の困窮者を助けようという動きも出てきたということである。

五．市民参加予算制度の導入

朴元淳がソウル市長になって以降、単に市民の意見を政策に反映することにとどまらず、市民が政策づくりの主体となる、より積極的な形の市民参加が多く見られるようになった。市民が暮らしの中で必要とする事業を自ら提案し、市民によって構成された予算委員の審査を経て予算に反映する「市民参加予算制度」がその代表的なケースである。

ソウル市は、2012年5月、市民参加予算制度を導入している。当時のソウル市の予算規模は約20兆ウォン（日本円にして約2兆円）であったが、そのうちの500億ウォン（日本円にして約50億円）を市民が使途を提案し、その提案を受けて市民が投票し、提案と投票結果を踏まえて市民から選ばれた予算委員が500億ウォンの使途を決定するシステムである。

具体的には、市民から出てきた提案、たとえば①地域におけるお年寄りが集まる敬老の施設をつくってほしい②道路を広げてほしい③主婦が学習するサークルの活動費を出してほしい④町内で起業するのを支援してほしい、などの提案を広場に貼り出して、この提案に市民が投票する。その後、市民のさまざまな階層から選ばれた市民代表100人が投票して予算の使途を決定する。提案は各区で公募し、誰でも参加できる。

市民参加予算制度は、1989年ブラジルのポルトアレグレ市で始まったといわれている。その後ブラジル各地のみならず、ウルグアイやアルゼンチンなどの南米諸国や韓国、スペイン・フランス・ドイツなどヨーロッパ諸国にも広がっている制度である。フランスでは、パリ、レンヌ、グルノーブル、ドイツではケルン、ハンブルグ、ボン、ライプツィヒなどの都市で実施されている。

六．ろうそく市民革命でソウル市が果たした役割

２０１６年10月29日から始まった「ろうそく市民革命」でも、ソウル市は大きな役割を果たしている。

まず、ろうそく市民集会が行われた光化門前の広場は、日常的にソウル市が管理している広場であるが、２０１６年10月29日から毎週土曜日に光化門前広場で行われたろうそく集会のために、ソウル市は広場日程を全てキャンセルして、ろうそく市民集会が優先的に行われるよう配慮している。

また、最初のろうそく市民集会後、集会の規模が徐々に大きくなっていったため、ソウル市は第３回集会から光化門広場付近に市や区の公務員を配置し、市民の安全と便宜を支援した。ソウル市の集計によれば、第３回集会から朴槿恵前大統領が罷免された翌日の２０１７年３月11日の第20回集会まで、現場に職員1万５０００余人（延べ人員）を投入している。同じ期間に支援した救急車、消防車、清掃車両などの各車両で１０００台を超え、地下鉄駅付近などで安全管理に投入された人員は総計６３００人、集会中に起こりうる緊急事態に備えて待機した救急隊員と消防官などは４５００人に達している。

さらに、大規模な集会を行うとトイレが問題となるが、ソウル市は光化門広場とソウル広場、清渓広場付近に移動トイレを10余ヵ所設置し、光化門広場付近の建物関係者を説得し、総計200ヵ所を超えるトイレを確保して集会に参加した市民に開放した。

集会の終了後、広場を道路を清掃するために投入した環境美化員と職員、ボランティアは4000人近く、清掃車両も500台以上が動員されている。

また、集会に参加した市民が安心して自宅に帰れるよう、ソウル市が運営する地下鉄の終電の時刻を遅らせている。

韓国で大規模なデモや集会が行われると、警察がデモ隊や集会参加者に放水車で放水をしてデモや集会を鎮圧・解散させることがよく行われている。警察の放水によって死亡者が出たこともある。ろうそく市民集会では、ソウル市が警察放水車両に対する水の供給をストップしたため、警察は放水車を使うことができなかった。

七、朴元淳ソウル市長の「2018年新年の挨拶」

数々の改革を実行してきた朴元淳ソウル市長の「2018年新年の挨拶」の内容が素晴らしいので、ここでその一部を紹介したい。

「自己責任が声高に叫ばれる時代に終止符を打ち、共同体を回復させて社会的連帯と友情の時代を切り拓いてまいります。」

「かつて、ソウルは人間ではなく土建に投資をしていたこともありました。かつて、ソウルは福祉を浪費とみなしていたこともありました。しかし、２０１１年を境に、ソウル市民はそれとは異なる道を選びました。」

「私は都市を優先して人をないがしろにしていた『失われた10年』に終止符を打ち、人のために存在する都市をつくることを皆様にお約束いたしました。まず、『市民の暮らしを変える最初の市長』になると、お約束いたしました。」

「この6年間、ソウルは市民の暮らしに投資してきました。この6年間、ソウルは、人という財産に投資してきました。この6年間、ソウルは債務を半分に減らし、福祉予算を2倍に増やしました。普遍的福祉の時代が始まり、必要とする人のもとへこちらから訪ねていく福祉制度へと、パラダイムシフトを成し遂げました。」

「ソウル市がこの6年間、孤独に戦って始めた変化は、今では新しい政府とともにつくっていく巨大なものとなりました。ソウルの政策は、いまや新しい政府の政策です。」

「ソウル市民の暮らしは、『平凡だが幸せ』なものであるべきです。新しい人生を始められる都市ソウルは、社会的連帯で協力し合い、友情をはぐくむ都市です。社会的連帯は、自己責任ばかり問われる社会を共同体へと回復させる力となります。」

「新年も『市民の暮らしを変える幸せな旅路』の一歩を踏み出し、ともに歩んでいきましょう。」

わが国でこのような新年の挨拶ができる首相や知事、市長がいるだろうか。

第三章　韓国の強力な市民運動に学ぶ

～ろうそく市民革命を成し遂げ、朴元淳ソウル市長を生んだ背景

一．参与連帯

朴元淳ソウル市長を誕生させ、朴槿恵大統領を退陣させせたろうそく市民革命を成功させた背景には、韓国の強力な市民運動の存在がある。

韓国の市民運動団体の中でも、代表的な市民運動団体が「参与連帯」である。

韓国が民主化された１９８７年６月以降の韓国における有力な市民運動団体であった「経済正義実践市民連合」（略称「経実連」１９８９年７月発足）は、民衆運動や労働運動の政治的な運動方向を批判して一線を画し、「民衆運動」ではなく「市民運動」であることを強調して活動を進めてきたが、金泳三（キム・ヨンサム）大統領の文民政府に対し協調姿勢を採ったため、「保守的市民運動」であるとの批判を受け、民衆運動や労働運動との対立が深まった。このような状況に対し、民衆運動と市民運動が連携する「進歩的市民運動」の模索が知識人や専門家の間で進められ、１９９４年９月に朴元淳弁護士らが中心となって「参与民主社会と人権のための市民連帯」が創設された。発足当初の会員数は２４４人であった。

その後、１９９５年３月に「参与民主社会市民連帯」を経て、１９９９年２月に名称を現在の「参与連帯」に改称した。

朴槿恵大統領を退陣に追い込んだろうそく市民革命でも参与連帯は重要な役割を果たした（写真はソウル市の地下鉄光化門駅の出口に掲載されていた巨大看板、2017 年 11 月 1 日筆者が撮影）

参与連帯は、「政府の横暴化を監視、財閥規制への市民参加を通して民主主義社会の基礎を固め、人らしく生きることができる社会の実現」をめざして社会運動を進めてきている。

「市民参加」「市民連帯」「市民監視」「市民代案」を通じて、市民の声を政治に反映させることを活動の原則にしてきている。

活動の柱は、司法監視、国会議員監視、公益訴訟、内部告発支援、人権擁護、社会福祉推進である。

このような活動を行うために12のセンターや委員会を設置している。

具体的には、「司法監視センター」（法治国家の番人となり、裁判所、検察、弁護士を正す）、「議政監視セン

ソウル市内にある参与連帯の建物。飾られているのはセウォル号沈没事件の犠牲者を追悼する黄色いリボン（2017年10月当時）

ター」（国民が選んだ国会議員を国民が監視する）、「行政監視センター」（公職社会の腐敗や権力の濫用を監視する）、「公益通報者支援センター」（不正義に抵抗する公益通報者を支援する）、「公益法センター」（公益訴訟で人権と民主主義を守る）、「労働社会委員会」（差別のない労働のための労働政策代案を提示する）、「民主希望本部」（庶民が幸せに生きる社会のための民生代案を提示する）、「社会福祉委員会」（施しではない権利としての福祉をつくる）、「経済金融センター」（公正で民主的な経済秩序のために活動する）、「租税財政改革センター」（租税正義実現のために活動する）、「国際連帯委員会」（国境を越え、人権と民主主義のために共同行動を行う）、「平和軍縮センター」（朝鮮半島の平和のために非核軍縮運動を広げる）などが設置されている。

これらのほかに、「アカデミーヌスティナムー（ケヤキ）」（個人や社会の問題を解決する力を

参与連帯の建物の前で李泰鎬(イ・テホ)元参与連帯事務局長と(2018年5月20日)

育てる市民教育機関)、「参与社会研究所」(参与民主社会モデルの開発、代案政策づくりと公論化のために活動する)、「青年参与連帯」(若者たちのよりよい明日に向けて、自ら代弁して社会問題に参加し連帯する活動を行う)などの部署が置かれている。

参与連帯は、２０１７年10月現在、約１万５０００人の会員を有し、会費収入、カンパ、機関紙収入などで年間約20億ウォン(約２億円)の収入があり、ソウル市内に5階建ての自前のビルを所有し、約60人のフルタイム常勤スタッフを抱えている。

参与連帯の活動としてよく知られているのは、１９９９年に立法化された日本の生活保護法にあたる「国民基礎生活保障法」の立法運動である。参与連帯は、創設時より国民生活最低ライン確保運動を展開し、既存制度の不備を突く公益訴訟を連発した。

また、国会議員の監視運動を進める一方で国会議員の腐敗を防止する腐敗防止法制定運動（腐敗防止法は2001年制定される）を開始した。この過程で明らかになった腐敗（食事・ゴルフ接待、花札賭博、選挙法違反、セクハラ、脱税、軍事クーデターへの関与など）した国会議員を対象にした落薦・落選運動を2000年4月に実施した。このときは、参与連帯、環境運動連合、女性団体連合を中心として全国421の市民運動団体が「2000年総選挙市民連帯」という組織を結成し、腐敗した国会議員を対象にした落選運動を行った結果、対象となった86名の国会議員候補者のうち、約70％にあたる59名が落選し、首都圏では落選対象者20名のうち1名を除きすべて落選したということである。

参与連帯は、朴槿恵大統領を退陣に追い込んだ2016年10月29日から2017年3月11日にかけての「ろうそく市民革命」でも、運動のまとめ役や市民参加事業、法律対応などを担当し、重要な役割を担っている。

参与連帯は、退陣行動全国執行部の常勤者約100人のうち10人を派遣している。退陣行動全国執行部の5人の状況室長のうち1人、5人の共同議長のうち1人、3人の共同スポークスマンのうち1人、10人のチーム長のうち1人を参与連帯から出している。

ろうそく市民革命において、警察の「青瓦台への行進禁止」措置に対し、参与連帯は裁判所に仮処分の申立てを行い、「大統領府の100メートル手前まで行進してよい」との仮処分決定を勝ち取っている。

このほか、ろうそく市民革命において参与連帯は、政策企画調整、市民メッセージの調整、言論対応、対外協力（国会など）を行っている。

参与連帯は、２０１４年に発足20年を迎えたのであるが、20年間の実績として、声明・論評発表５３８３、公益訴訟３５７件、国家監査請求２６５件、立法請願５５３件、レポート発表３５４回、討論会・会見開催１９５５回、講座３８２コースであったと発表している。

市民運動のシンクタンク「希望製作所」

二、希望製作所

２００６年３月27日、朴元淳弁護士をはじめとする市民活動家らが中心となって創設した市民運動のシンクタンクである。市民運動は、批判だけではだめで代案を持つ必要がある、という問題意識で創設された。

約６０００名の会員を有し、会費収入や寄付金、事業収入などで年間約40億ウォン（約4億円）の収入があり、46名の専従研究員を抱えている（2014年10月現在）。

参与連帯は政治の監視、希望製作所は代案づくりを重視することで、活動目的が分担されている。

活動としては、政府への政策提言、人材育成、シニア層の社会活動、会員が気軽に集えるサークルやボランティア活動の場づくりなどを行っている。

三．経済正義実践市民連合（経実連）

経済正義実践市民連合（経実連）は1989年7月設立された韓国における先駆的な市民運動団体である。

設立当初は、「不動産投機」の規制を求めて活動する市民の集まりだった。設立当時は、富裕層の間で不動産投機が過熱し、貧困層との格差が拡大して社会の二極化が進んでいた。現在の活動は多岐にわたり、会員の関心領域も多様化している。

活動目標を、「社会正義に満ちた自由で公正なマーケットをつくること」、「政治経済の社会制度を変革し、安定した国づくりをすすめること」、「持続可能な成長をめざすこと」、「精神的なゆたかさを求める市民社会をめざすこと」などとしている。

　経実連は政治的中立を保っており、多様な団体と連携している。革新系の団体と保守系の団体は対立している場合もあるが、経実連はどちらの団体とも対話・協力・共同行動をしている。「価値に共感する」ことを他団体や労働組合と連帯・連携する際の原則としている。

　経実連の会員は、設立時は150人ほどであったが現在は約1万5000人になっている（2017年10月現在）。

　会員は平均年齢50歳代で自営業者が多い。会員の拡大と維持のため「毎月Eメールを出す」「書籍を贈る」「次年度事業について会員からの提案を集め運動に活用する」、「新規会員を増やす」（職員には15人、ボランティアには10人の会員拡大ノルマがある）ことなどを行っている。

　本部には25人、地域支部には70人の常勤職員がいる（2017年10月現在）。このほかに、約600人のボランティアの専門家集団がいて、専門知識を提供し、政策を提案している。

　財政規模は年16億ウォン（約1億6000万円）で、収入内訳は会費70％、募金17％、事業収入7％などとなっている。会費は原則1ヵ月1万ウォン（約1000円）であるが、中

経済正義実践市民連合本部で（2017年11月1日）

立を保つため、1人10万ウォン（約1万円）以上は受け取らないようにしている。年2回募金キャンペーンを実施している。

中小企業への年1回の講演を行い、その講演料を収入としているが、企業からの独立を保つため1回1000万ウォン（約100万円）までしか受け取らないようにしている。政府からの補助金は2002年から受け取っていない。

南北分断を研究する部署や都市研究、社会葛藤解消センターなどを有しており、政治、経済、国際連帯、南北統一問題、不動産・土地問題、住居安定問題など多くの分科会がある。

これまで取り組んできた運動として、「土地公概念要求と住宅問題解決要求」（1989年）、「税制改革要求・租税正義実現運動」（1990年〜）、「金融実名制早期実現のためのキャンペーン」（1993年）、「ウルグアイラウンド再協商など国内農業を守るキャンペーン」（1994年）、「韓国中央銀行を政府から独立させるキャンペーン」（1995年）、「OECD早期加入反対キャンペーン」（1996年）、「労働関係法改正運動」（1996年）、「情報公開法・行政手続法制定運動」（1997年）、「予算監視活動」（1998年〜）などがある。

これまでの運動の成果として、金融実名制、韓国中央銀行の政府からの独立などを実現させている。

今後の運動の重要課題として、公正な経済体制を確立し、財閥中心経済を変革すること、高位公職者の腐敗を捜査する機関の設置、庶民のための家賃制度の実現、遺伝子組み換え食品の表示の義務付け、などを上げている。

四．福祉国家ソサエティ

「福祉国家ソサエティ」は2007年に設立された、「福祉国家」の実現を目指す政策シンクタンクであるとともに市民運動団体である。

学生運動や金大中・盧武鉉政権に参加した活動家、行政経験のある者、研究者など92名の政策委員によって構成されている。活動に賛同する一般会員は1000名、9200名にネット配信している（2014年10月現在）。

一般会員の会費は1ヵ月1万ウォン（約1000円）、政策委員の会費は1ヵ月3万ウォン（3000円）であり、会費によって運営している。

1998年に民主主義勢力によって政権交代が実現し、金大中政権と盧武鉉政権が誕生した。2人の大統領の政策立案に関与するなどの経験をした者が、福祉国家ソサエティの設立に参加した。2人の政権に10年間参加して努力したが、韓国に十分な変化はなかったことから、1年間、持続的にセミナーや討論を行い、韓国が抱える部分的な問題から、韓国全体の政治システムの問題に介入できるように意見を集約して設立された。

福祉国家の実現に向けて、選別的福祉ではなく普遍的福祉の実現を目指すこと、労働に対する規制で可処分所得を増やして内需拡大による福祉実現を目指すことなどを、運動の政策理念としている。

特定の政党を支持することはなく、中立を維持しつつ、福祉国家を支持するところに協力する立場をとっている。

国民がどこで生活困難を感じているかを把握し、「暮らしが大変だ、それを解決するのが福祉国家だ」「不安を変えていくのが福祉国家だ」と訴え、怒りを世論化し、集会にし、組織する運動を行っている。

北欧型の福祉国家などを参考にしつつ、韓国式の制度をどのように作動させるかを重視している。国民が何を望んでいるかを分析し、争点化し、力にすることを重視し、国民の関心を高め、政策を公約化し、国民・政治家・マスコミの共感をつくることに力を入れている。

2010年3月、福祉国家ソサエティは「福祉国家提案大会」を開催した。その後、無償給食について、普遍的にサービスを提供するのか、お金がない人だけを対象にするのかが、2010年の統一地方選の争点となった。福祉国家ソサエティは、無償給食が「普遍的福祉」の一部であるという哲学的な裏付けを行った。

2011年10月、すべての児童に対する無償給食の実施（普遍的福祉）を公約に掲げた朴元淳ソウル市長が誕生した。

２０１１年10月３日の民主党の全党大会で普遍的福祉が議題に上り、党の政策が普遍的福祉に大きく変わった。また、同年11月には、ハンナラ党の有力大統領候補の朴槿恵が、ハンナラ党を福祉方向へ変えるべきだと主張し、福祉国家づくりを重視することになった。こうして、与野党とも、普遍的福祉を党の公約に掲げることになった。

２０１２年の国会議員選挙と大統領選挙で与野党が激突することになったが、このときも福祉国家ソサエティは政策をつくり提案した結果、与野党の有力候補が福祉国家ソサエティの提案を公約化した。

福祉国家ソサエティの福祉国家政策に賛同する国会議員約60名で「福祉国家を考える議会の会」が結成されている。

五．マニフェスト実践本部

マニフェスト実践本部は、政策選挙の普及による政治の民主化と市民参加の促進を目的として、２００６年２月６日に設立された。

公約の公表、実践とその監視、評価、普及のための調査研究、教育啓発などの活動を行っている。

専従スタッフは選挙時13名、通常は6名である。公約の内容チェックに無償で協力する専門家（行政学の専門家が多い）や活動家が120名、提出を監視する大学生ボランティアが100名いる（2014年10月現在）。

年間1億2000万ウォン（約1200万円）の支出をしているが、支出の中では、家賃が一番多い支出である。収入源は、自治体や大学における講演料収入、無償協力者による寄付、地域開発のための委託研究収入などである。

マニュフェスト実践本部が設立された背景と運動の主体は以下に述べるとおりである。

かつて韓国は大統領さえ公約を簡単に反故にする状況であったため、日本のマニュフェスト運動を機に、韓国でもマニュフェスト運動が始められた。マニュフェスト運動は、イギリスでは政党中心、日本は候補者中心だが、韓国の場合は市民運動が主体で、公約の評価と監視にも積極的に取り組んでいる。

1980年代に民主化運動を経験した「386世代」（1990年代に30歳代で、1980年代の韓国民主化運動を経験した1960年代生まれの世代のこと）の幅広いつながり（政党・行政関係者も含む）を背景に、2005年9月にネットワークづくりが始められ、2006年2月6日に設立された。

マニュフェストは、大統領選挙（5年任期）と基礎自治体（全国で227）の首長選挙（4年任期）を対象にしている。

マニュフェスト実践本部の運動の成果として、「公約家計簿」の公表がある。「公約家計簿」とは、公約と同時に公約実現にかかる予算も併せて公表するものである。大統領選挙の候補者の中には最初は「公約家計簿」の提出をいやがる候補者もいたが、現在では大統領選挙、自治体首長選挙の候補者は100％「公約家計簿」を提出しているということである。

選挙後は、100日以内に公約の「実践マニュアル」を提出することを要求し、公約をどれだけ誠実に履行しようとしているかをチェックしている。マニュフェスト実践本部は選挙後も政治家が嘘をついていないか、専門家や活動家の無償協力を得て監視している。

六．朴元淳弁護士が見た韓国と日本の市民運動の比較

以上、韓国を代表するいくつかの市民運動団体を紹介してきたが、韓国の市民運動は何より活気があり戦闘的で政治的である。それは、軍事政権と闘いながら自由と人権、民主主義を勝ち取ってきた歴史と深い関係がある。韓国の市民運動や、ソウル市の改革などから日本の市民運動が学ぶべきものは大変多いと思われる。

現在ソウル市長を務めている朴元淳弁護士は、日本の国際交流基金と国際文化会館が共同で

招聘する「アジア・リーダーシップ・プログラム」により、2000年9月から11月にかけて3カ月日本の市民運動団体や市民社会を見てまわっている。そして、この時の経験が一冊の本にまとめられ、『韓国市民運動家のまなざし――日本社会の希望を求めて』というタイトルで、2003年9月風土社から出版されている。

朴元淳は、この本の日本語訳版が出版される際の冒頭の「韓国と日本の市民運動――そのかけ橋のためのささやかな試み」と「序章　変わり者の国、日本」において、韓国と日本の市民運動の比較を行っている。

1．朴元淳が見た韓国市民運動の光と影

朴元淳はこの中で、韓国の市民運動について、「韓国の市民運動は何より活気がある。戦闘的で政治的だ。それは軍事政権と闘いながら民主主義をつくりあげてきた歴史と深い関係がある。その過程で公権力による弾圧や拘束をおそれなくなった。強い政府に強い市民運動を生んだわけである」と述べている。

朴元淳は続けて、「参与連帯、経実連（経済正義実践市民連合）、環境運動連合といった強力な全国的市民団体は、政府の政策に大きな影響を及ぼしてきた。参与連帯の場合、第15代国会（1996~2000）において80件あまりの法案を請願し、そのうち半分程度は成立を勝ち取ってきた。とりわけ、150あまりの条文を備えた腐敗防止法や、韓国社会最初のセーフ

ティネットを構築する国民生活基礎生活保障法のようなものも含まれている。腐敗していて能力のない政界にかわって、市民団体が国民の世論を集約・形成し伝達する役割を行使しているのである」と述べている。

続いて、「こうした市民団体の力がもっともよく発揮されたのが2000年4月の総選挙であった。このとき、参与連帯、環境運動連合、女性団体連合を中心とした全国数百団体が『総選挙連帯』を組織し、腐敗した政治家を対象とした落選運動を行った。総選挙連帯が名前を挙げた86名の国会議員候補者のうち、約68％が落選した。とくに首都圏では90％以上が落ちた。」と述べている。

朴元淳は「韓国の市民運動は1987年の民主政府樹立とともに本格的始まった。」と述べている。朴元淳は「それ以前にも、いわゆる在野運動が国民の基本的権利の擁護と民主回復のため、勇気ある献身的な闘いをしてきた。だが、こうした在野運動は政権の交代という目標と当時の独裁政権への抵抗という意味合いを持っていた。独裁政権が倒れ民主政府が擁立されてからは、政権の交代ではなくその政権の具体的な政策についての批判を対案の提示という目標を設定し運動を推進せざるを得なかった。過去のスローガン的、理念的な運動から、政策と実践の運動へと移行することになったのである。同時に、従来の民主化運動という包括的な運動から、領域別に細分化されていった。女性、人権、環境、権力監視、経済正義、地方自治など多様な領域で社会的イシューが運動のテーマとして浮かび上がった」と述べている。

朴元淳は、当時の韓国の市民運動の問題点、課題についても同書で次のように指摘している。「ある統計によれば、2000年以降、市民団体の数が2万団体を上まわるという。いくつかの大学にNGOを研究する大学院が生まれ、NGO研究所が誕生し、マスコミはNGO情報のページを置くようになった。まさしく韓国は市民団体の天国のようになったのだ。」「しかし市民団体が直面する問題は少なくない。市民の参加は相変わらず不十分だし、そのために財政状態もはかばかしくない。会費により運営が可能な団体は数えるほどしかない。政府や企業に依存する団体も少なくないないし、活動家はろくに月給ももらえずにいる。こうしてみると市民団体は零細なことこの上ない。こうした状況を一部のマスコミは『市民なき市民運動』と揶揄している。」「その上、韓国の市民団体は政治的であるため、政治問題にかまけていて、国民の日常的な生活の中に入りそれに密着した活動を十分に行えずにいる。もちろん、政権が左右する社会的影響は大きいから、市民団体は政治にかかわらざるを得ない。韓国市民運動の政治性は、一般市民をして市民運動に参加しにくくする要因となっている。ひとつの悪循環と言えよう」と述べている。

朴元淳は韓国市民運動の問題点についてまた、「韓国社会は中央集権国家であり社会である。ソウルに人口と資源が集中しており、地方自治は実施されているとはいえ、その歴史は浅く権力は中央に集まっている。市民運動もやはり中央に集中している。地域の草の根の市民運動は人材と物的資源においても脆弱だ。こうしてみると、権力はしだいに中央から地方に移ってきてはいるものの、地方権力を監視する機関は存在しない。地方自治体の首長の4分の1は刑事事件の被疑者として立件されているというマスコミの報道が、こうした状況の深刻さをよく示している」と指摘している。

2. 朴元淳による日本の市民運動の観察

朴元淳は日本の市民運動について、「何より日本の市民団体は全国的ネットワークをもっておらず、みすぼらしくもある」と指摘している。

朴元淳は「韓国の場合、ある地域、あるいはある分野の市民運動を知りたいと思えば、たやすく紹介することができる。それだけおたがいをよく知っているということである。これまでの長い連帯の歴史を持っているからだ。とりわけ、全国のしかるべき市民団体が加入している市民社会団体連帯会議が全国的に組織化されており、相互のネットワークも比較的うまくいっている。ところが、日本の場合、第三世界支援と国際交流を専門とするNGOの協議体はあるが、市民団体全体のネットワークはなかった。このため、分野別の市民団体の協議体や特定の市民団体全体会員の住所録、マスコミ報道、市民団体に関する本、活動家の個人的な紹介などを通じて、訪問先のリストを自分で直接つくっていかねばならなかった。こんなにバラバラに存在していては、強い政治的影響力を行使することはむずかしいだろうと判断された」と述べている。

朴元淳は、また、「日本では参与連帯のようなアドボカシー運動団体は見いだすことができなかった。全国各地で活動する市民オンブズマンのような団体が集まって全国的な連絡会をつくってはいるものの、政府に対して強力なロビーや牽制、圧力を行使する団体はほとんどなかった。」とも述べている。

朴元淳はさらに、「日本の地方自治が韓国よりかなり発達しているという一面もあるものの、日本人は政治に対する嫌悪感や避けて通りたいという思いがはなはだしいように見えた。日本でも政治家への失望感は大きいが、落選運動が日本で成功しなかった理由として、こうした政治への嫌悪感が色濃く存在する点が作用しているように思われた。政治への失望と嫌悪感は韓国でも同様とはいえ、その程度の差ははなはだしかった。」と述べている。

一方で、朴元淳は日本の市民運動の長所、韓国の市民運動が日本の市民運動から学ぶべき点を、次のように指摘している。

すなわち、「地域に入ってみると、日本の市民運動家は地域ごとに多様な活動を繰り広げており、日本の市民社会の奥の深さと健康さとを確認することができた。とくに生協は印象的だった。主婦が中心となり消費者として組織的主体となり、有機農産物の購入だけでなく、一歩進んで地方議会に『代理人』を送り出す草の根の政治を少しずつつちかっている姿は韓国では見られないものであった。それだけでなく、日本では大きな団体ではないが、小さなグループをつくりささやかながら多様な活動と実験を繰り広げているところも、韓国の市民運動が学ぶべきところであった。定年退職した人や主婦がNPOをつくり、自分の地域社会の問題を解決していくのは望ましいことでなく、何だろうか。」と指摘している。

3．韓国と日本の市民運動の比較

朴元淳は、韓国と日本の市民運動の違いを空軍と陸軍にたとえて、「韓国の市民運動は戦略的な地域を集中爆撃し社会を変えようとする空軍であり、日本の市民運動はひとつひとつの地域を占領していく歩兵のような陸軍である。」と指摘した上で、「韓国の市民運動は日本の地域運動から学ぶところが多い。韓国でも地方自治の歴史が蓄積されつつあり、これまで首都圏での学生運動、労働運動にたずさわっていたが、故郷に帰り地域運動を始める人も増えているから、韓国の地域運動も活性化される可能性が高まった。それでも、日本社会が蓄積してきた草の根の地域運動の歴史は韓国の市民運動が学ぶべきよい経験に満ちている。」と述べている。

韓国の市民運動と日本の市民運動の特徴をよくとらえた見事な分析といえる。

朴元淳は、当初この本のタイトルを『パク・ウォンスン弁護士の日本市民社会紀行』とし、サブタイトルを「変わり者を訪ねて」としたということである。

朴元淳は「みずからの安逸と利益を投げ打ち、社会と共同体のために献身する多くの人たちはどこの社会でも『変わり者』たらざるを得ない。そうした『変わり者』が多い社会ほどよい社会である。」と述べている。

そして、朴元淳は、「わたしは日本全国を3カ月間歩き回りながら市民運動にたずさわる多くの人たちに出会った。言葉もよく通じないし仕事をするスタイルもずいぶんとちがうが、そこに多くの普遍性が発見できた。原子力発電所に反対するために現場を歩きまわる女性、貧しい町の疎外された人びとのために一生をささげる牧師、第三世界の貧しい国とその民衆のために東奔西走する人びと……こうした人たちすべてにわたしは深い同志愛を感じた。これはひとつの国、ひとつの社会、ひとつの民族を超えてともに交流し、ともに歩むことのできる共同の目標と志があることを意味するのである。」と述べている。

朴元淳は、さらに、日本政府と韓国政府の現状について、『近くて遠い国』というのは地理的にももっと近い距離にありながらも、たがいに複雑な感情を抱いているからこそ出る言葉である。かつての植民地支配下において行われた多くの不幸なことがらによって、いまだにその感情の溝が埋められずにいる。とくに日本政府は『慰安婦』問題、強制連行と強制労働による犠牲者の補償問題を解決できていない。戦後復興を成し遂げ経済力をもって強大国になりながらも、日本はいまだにアジア人が戦争中にこうむった傷跡を癒やすことができないのである。韓国政府もやはり東アジア、ひいては世界において、より開放的で積極的な認識をもち役割を果たすうえで充分とはいえない。ぎすぎすした両政府の間では窒息しそうなやるせなさを感じざるをえない。」と述べている。

朴元淳は日韓の市民運動の役割について、「政府があやまった問題を解決できるのは、両国の市民運動においては存在しない。歪曲された教科書を認める政府に反対し、『慰安婦』問題を解決すべく努力する日本の市民団体は多い。自国の政府を批判できるのは市民団体だけだから。そのスローガンは「正義と平和、環境と人権、人類愛などの普遍的な理念だ。国と国の間を結びつけ、地域と地域を結びつける。海峡を越えて韓日間に平和を育て、友好を推進できるのは両国の市民団体の役割だ」と述べている。

この文章の最後は、このように締めくくられている。「2003年4月22日、韓日両国の市民団体の活動を通じ、東北アジアの平和と連帯の気運が高まることを期待しつつ　パク・ウォンスン」。

日韓関係が最悪な状況に陥っている今日、日韓の市民運動が果たすべき役割については、朴元淳さんの考え方に私も全面的に賛同するものである。

コラム
4
column

参与連帯元事務処長李泰鎬（イ・テホ）さん来日講演録

私が代表を務める「希望のまち東京をつくる会」は、2017年11月19日、参与連帯元事務処長（日本の事務局長に相当）で政策委員会委員長を務める李泰鎬（イ・テホ）さんを招いて

『韓国市民運動に学ぶ政権の倒し方＋作り方』～チカラのある市民があたらしい政治をつくる。～」という講演会を開催した。朴槿恵大統領の退陣、文在寅大統領誕生の直後だったので、会場は満杯の盛況であった。ろうそく市民革命や韓国の市民運動の息吹や現状がよくわかるので、その時の講演録を李泰鎬さんの了解を得てここで紹介する。

《第一部》

〈照明が落とされ、音楽とともに会場正面のスクリーンに講演会のリーフレット画像と韓国のろうそく市民革命「ろうそく集会（キャンドル・デモ）」の記録写真の数々が次々と映し出される。〉

〈参加者　拍手〉

宇都宮

みなさん、こんばんは！

「希望のまち東京をつくる会」の代表をしております宇都宮健児と申します。今日は日曜日の夕方でおやすみのところ、こんなにたくさんの方に集まっていただきまして、大変にありがとうございます。

私たち「希望のまち東京をつくる会」は、ここ数年における韓国のさまざまな市民運動、そして、行政やソウル市の改革に関心を持ちまして、今から3年前の2014年10月2日から10月8日まで第1回目のソウル市訪問をして、ソウル市の改革や参与連帯・希望製作所・マニフェスト実践本部などの市民運動の取り組みを視察してまいりました。

ちょうどこの時はですね、後ほど参与連帯の李泰鎬さんからのお話にあると思いますけれど、同じ年である2014年4月16日に「セウォル号事件」が発生しておりまして、ソウル市庁舎のとなりに献花台が設けられていました。そこで私たちは献花台に花を捧げて参りました。

それから今年2017年は、10月29日から11月1日まで、第2回目のソウル市訪問をして、ソウル市庁・衿川区（クムチョンク）・禿山4洞（トクサンヨンドン）を訪れ話を聴くとともに、文在寅（ムン・ジェイン）政権の河勝彰（ハ・スンチャン）社会革新首席秘書官にお会いして話を聴きました。また、本日お話していただく李泰鎬さんのいらっしゃる参与連帯や他の市民団体なども訪問して参りました。

「参与連帯」は韓国を代表する市民団体でありますが、2011年10月から現ソウル市長となられた朴元淳（パク・ウォンスン）さんは、参与連帯の創設者のひとりだと聞いております。

ソウル市はこの間、朴元淳さんが市長となられてから「非正規労働者の正規化」「小中学校の給食の完全無償化」「ソウル市立大学の授業料の半額化」「就職難で困っている若者に対する青年手当の支給」というような素晴らしい革新的な政策を実施しております。

それから、今日の李泰鎬さんのお話の中心は先ほどスクリーンに画像が出ました「ろうそく市民革命」についてなのですが、このろうそく市民革命の集会でもソウル市の協力があったのです。これまで韓国では警察が高圧放水などをして集会を解散させ弾圧するというようなことが行われていたんですけれども、今回のろうそく市民集会ではソウル市が警察の放水車に対する水の供給をストップしたため、警察は放水できなかったということです。

また、小さなお子さんも集会に参加しますので、集会参加者が自宅にちゃんと帰れるように地下鉄の終電を遅らせたと聞いております。加えて、清掃職員や清掃車両を動員して集会の後のゴミの片付けなんかをして清掃したとか、あるいは、簡易トイレを配置するとか、安全要員を配置したということです。集会が安全に行われるように自治体であるソウル市が行ったようなことは、日本ではとても考えられないことではないかと思っております。

私たちの第1回目の訪問から今回の訪問までに起こったことは、いうまでもなくろうそく市民革命です。このろうそく市民革命運動によって朴槿恵大統領が退陣をしまして、文在寅新大統領が誕生しております。このような大きな市民革命「ろうそく市民革命」を遂行するうえで、参与連帯は大きな役割を果たしてきております。

今日、お話していただく李泰鎬さんはその中でも中心的な役割を果たしていらした方ですので、どうか今日のお話を聴いていただいて、日本の市民運動の発展に活かしていただきたいと思いますし、日本の地方政治や国の政治の変革のために役立ててもらいたいと思います。今日はみなさんと一緒になって勉強したいと思いますので、よろしくお願いします。

参与連帯元事務処長であり現在は参与連帯政策委員長である李泰鎬さんをご紹介します。

それでは、李泰鎬さんどうぞ。

司会

みなさま、お待たせ致しました。李泰鎬さんをご紹介させていただきます。現在、参与連帯の政策委員会では委員長のお立場であり元事務処長をなさった李泰鎬さん。2つ目の肩書きでございますが、セウォル号、先ほどお話にあったセウォル号事故、こちらの被害者の家族の会と関係者の会と密接な連携をされている「4・16連帯」、こちらの常任運営委員もなさっていらっしゃいます。そしてなんと言いましても「キャンドル・デモ〈ろうそく集会〉」「ろうそく市民革命」。李泰鎬さんはこの市民革命を韓国全域にまで広めた中心人物のおひとりでございます。

李泰鎬さんでございます。どうぞ、みなさん、よろしくお願いします。

〈参加者　拍手〉

李泰鎬

ご紹介にあずかりました、李泰鎬と申します。今回の場をご提供いただきました「希望のまち東京をつくる会」の宇都宮先生をはじめ、皆さま、スタッフの方々に感謝とお礼を申し上げます。

これから80分間、韓国で起こりました「ろうそく市民革命」とともに韓国の運動についてお話させていただきたいと思います。

李泰鎬

まず、去年２０１６年から今年２０１７年の初めまでに起こった「ろうそく市民革命」についての概要を申し上げたいと思います。

まずは、映像をお見せしたいと思います。

〈照明が落ち、スクリーンにろうそく集会（キャンドル・デモ）の実際の映像が流れる。かけ声とともに市民の声が響き、大通りを埋め尽くすまでに集結した人々それぞれが手に掲げるろうそくの灯がうねりを描く。〉

李泰鎬

これは「ろうそく市民革命」の集会の最後のろうそくの光です。今の映像ではそのろうそくの光が流れる様子をお見せしました。

２０１６年12月9日に国会で韓国の大統領であった朴槿恵氏の弾劾訴追案が議決されました。このとき、国会議員の78パーセントが賛成をしています。その３ヶ月後、２０１７年3月10日に憲法裁判所がその弾劾訴追案に基づいて罷免を決定しました。

罷免が決定された理由というのは、「罷免された理由」として配付資料に書かれているとおりですけれども、まず一番にあげられる理由は、国民主権の原則に違反したということです。朴槿恵氏が大統領の権力を濫用したということです。そして、収賄関連の各種の違反行為としての賄賂を収受したということです。

韓国では２０１７年5月9日に大統領選挙があり、第一野党の文在寅候補が当選し大統領となったということで、全てのことがまず一段落しました。私たちは「ろうそく集会」を合わせて20回行ったのですが、累計で約１６５０万人の方々がこの集会に参加したということが集計でわかっております。

李泰鎬

こちらのスライドなんですけども、集会があるたびに制作したポスターなんですね。各ポスターの下の数字というのは、誰が、どういう感じで、どういう人たちが集まって来たのか、その人数を集計したものなんですね。1回目の集会のときの人数は3万人だったんですけども、その次その次と見ていただくと、ものすごいスピードで参加人数が増えたことがおわかりになると思います。もっとも参加人数が集まった集会が一番左下のもので232万と書いてあるポスターのものなんですけれども、これは朴槿恵氏が弾劾される直前のときの集会です。

韓国の国会では朴槿恵氏が弾劾されたとしても、2017年に憲法裁判所がどういうふうな結論を出すか、どのような結果を出すかということがもっとも重要な課題だったので、結果が出るまでずっと集会を続けていました。次のスライドの右の一番下の二番目のポスターの105万という数字は、憲法裁判所の結果が出る直前の集会の人数です。これは、朴槿恵氏弾劾後、もっとも参加人数が集まった集会です。

李泰鎬

ここの広場に人々が集まって来たんですけれども、いったい「どのような人たちが集まったのか」ということをこれから見ていきたいと思います。ほんとに多くの人たちが集まったので、どのような人たちが集まって来たのかというのを確かめることを仮定するというのはとても難しかったんですけれども、それを確かめるためにいくつかのグループに分けてみました。

まず、集会の主催者は朴槿恵政権退陣非常国民行動（略称「退陣行動」）を起こした団体の連合体です。韓国全国の70都市が2300あまりの社会団体がこのネットワークに参加し、集会も70カ所の都市で行われました。

このネットワークに参加した市民団体というのは、私たちみたいな市民運動の人間もいましたし、いろんな組合とか人権団体とか宗教団体だったということで、リベラル、革新的な傾向の団体が参加していたことがわかります。

その次に、集会の参加者を調べてみました。まず世論調査をしたんですけれども、「ろうそく集会に参加したことがある」と答えた人は全国で32・8パーセントでした。韓国の全人口に鑑みると、32・8パーセントというのは約1650万人となり、この人数が集会へ参加したことになります。私たちが集計した人数と世論調査で集計した人数というのはだいたい同じで、1600万人以上が参加したということがわかりました。

李泰鎬

参加した人たちの政治的な傾向について聴いたところ、「リベラル系」だという答えは39パーセントで、「保守」っていうのは17・3パーセント、「どちらでもない」「中道」であるという答えは19・4パーセントでした。

その次に、弾劾賛成世論を調べてみますと、ろうそく集会に参加した人の占める割合というのは70パーセントから80パーセントでした。そして、国会の中で弾劾訴追案賛成の国会議員は、与野党問わず保守の人も含めて、約78パーセントでした。

ですので、弾劾に賛成した人やろうそく集会に集まって来た人たちがどのような人だったかといいますと、リベラル系の人ばかりだけではなく、保守的であろうがなかろうが政治的な傾向を問わない人々、そのような人々が多く参加していたということがわかったのです。

ですので、ここの広場に出てくる人たちは、ただ単に、あるひとりの政治家が嫌いだからといって集まったわけではなく、自分の身の回りに何かが起こっている、生活にかかわる何らかの危機感を持ったからこそ集会に出てきたんじゃないかと思えるんですね。

ここの集会の広場に出て来た人たちが「どういう人たち」なのかということを再度調べ直してみました。すると、組合や社会運動の組織の人たちもみんな集会へ行きましょうというふうに総動員したのですが、その人数は参加者全体の一部に過ぎなかったことがわかったんです。組合とか市民団体の人たちの訴えに従って広場に出てきたと言っている人であったとしても、多くの人々はそれら団体のもとで運動をしようと広場に出て集会に参加したわけではないんです。年齢もさまざまで、性別も男女を問わず、いろんな、多様な人たちが集会の広場に出て来ていました。団体の人間ではないということは、組織されていない人たちだったのかというと、それが、また違っていたのです。自ら広場に出て来た人たちには、それなりの自分たちの組織・グループがあったのです。

李泰鎬　どういう組織やグループだったのかといえば、例えば、大学時代の仲間とか、街づくりにかかわっている市民たちとか、職場の仲間たちとかが、ＳＮＳを通じて連絡やコミュニケーションを行うなかで出現したネットワークなんですね。ですので従来のような市民団体とかそういうものとは関係なく、自分たちが各々にさまざまなネットワークに所属した上で集会の広場へ出て来たということが、今回、明らかになりました。

広場に出て来た人たちのなかで、先ほどお見せした映像にもあったろうそくを持っている人たちというのは本当にごく一部で、ほとんどの人たちは、楽しんで過ごしていました。広場のまわりにある居酒屋だとかその辺でお酒を呑んだりしていた人たちもいたんです。

〈参加者　笑〉

李泰鎬　ですので、大学時代とか高校時代の仲間たちが、こういう出来事があったから「せっかくの機会だ」ということで、広場を出会いの場として使って、久しぶりに集まって来ていたということになります。

来ている人のなかには、ちょっと変わっているなと思う人もいたんです。「ひとりで来たよー！」と旗を掲げながら来ている人もいました。ひとりで来た人もいたんですね。ひとりで来た人たちは決まった場所に集合することになっていたので、結局、集会のあとには「ひとりで来た人たちが一緒に集まって出来た会」という団体が出現したわけなんですね。

その後、スライドの下の方なんですけれども、そこにある「カブトムシ研究会」というのは実在する研究会ではなくて架空の研究会なんです。この旗を作ってきた人たちは、「こういう研究会の人も広場に出て来てもいいんじゃないですか」というような主張があり、このような旗をわざわざ作って集会の広場まで持って来たらしいのです。ここから考えますと、「この旗のおかげで、勇気を振り絞って広場へ出てこようと思えたからここに来た」という人も参加者のなかにはいるわけです。

李泰鎬

集会の広場に出て来た人たちは、こういったさまざまなネットワークを通じて出て来たということがわかるんですけれども、このような方々が集会に出て来た理由として、きっと、朴槿恵氏の問題だけではなく、また別の問題があったのではないかと考えられたんですね。参加者がみんな口を揃えて言っていた言葉がありました。「これが国なのか」「これが国家なのか」という言葉です。

表面的・直接的には国政壟断に対する「怒り」がありますが、その背景としては「国民不在の政治」があげられます。国に「国民はいない」と思われているんじゃないかということに対する「絶望」がこの背景のなかに存在しているわけですね。

李泰鎬

各国の状況や動向を端的に表している「OECD　Factbook2010」から、あるグラフを抜粋してお見せします。こちらは、生活満足度です。こちらは自殺率です。これらは、OECD（経済協力開発機構）が調査した平均値なんですけども、韓国はどのあたりに位置すると思いますか。

韓国はここのあたりです。自殺率がとってもも高いんですね。そして、生活満足度がものすごく低いんです。

次のスライドでは、韓国の10大手企業の売り上げが国内総生産（GDP）に占める割合が62パーセントだと示されています。ここから、韓国は経済が大手企業に集中しているということがわかります。

次は非正規の職業労働者の平均の賃金が正規の定職者に比べ、半分しかないということが示されています。次のスライドは、非正規職員労働者数です。韓国の非正規職労働者数は820万人です。820万人の人たちが非正規の労働者です。ですので、韓国では大まかにふたつの世帯のうち、ひとつの世帯に非正規の職を持っている人がいるということがおわかりいただけるかと思います。

韓国の出生率は日本よりとっても低いです。ですので、このままの人口と出生率でありますと、１００年後の韓国の人口は３５０万人になるということです。

こちらのスライドは、人口の全所得に対する所得上位10パーセントの割合です。２０１２年のあたりでは45パーセントになっています。日本ではどうかと言いますと、上位10パーセントの所得率は１９９５年のあたりには34パーセントでした。２０１２年では40・５パーセントになっています。

韓国の所得集中度は日本よりも高いですね。より大事なことはグラフの傾きなんです。グラフの傾きから見えてくることというのは「どれくらいの速さで所得集中度がどのように変化するのか」ということです。アメリカのほうが所得集中度が高いと言われているんですけれども、実は、アメリカでは20年間でこれしか変化がないんですね。なのに、韓国では18年間で約16パーセントもの急激さで所得集中度が高くなっています。世界中を見渡してみても、このような国はありません。唯一比較できる国はシンガポールです。

李泰鎬

先ほどは上位10大企業についてお話ししましたが、こちらは韓国国内における上位50大企業の売り上げが国内総生産（ＧＤＰ）のどのくらいの割合で占めているかを示したグラフです。

割合は２０１２年で約74パーセントです。こちらも５年間に20パーセント上昇したんですね。

　こちらのグラフは、労働組合の組織率なんですが、日本・韓国・アメリカは労働組織・組合組織の割合がものすごく低いことがわかります。男女の賃金の格差については、韓国が一番高いです。日本は韓国の次です。でも、最近の日本では男女の賃金格差は下がってきています。韓国ではこの格差はぜんぜん下がっていません。

　出生率に関しても韓国は一番ビリです。最下位なんです。日本も非常に出生率が低いですね。ですが、いろんな統計を見ると、韓国の状況は日本より悪いんですよ。

李泰鎬
　投票率はどうでしょうか。韓国では投票率もとても低いです。韓国・日本・アメリカは、他の国と比べると投票率が低いということがわかります。

　こういった統計の他にも韓国の現状についてよく表していることがあるのです。それが、「セウォル号事故」なのです。

　このスライドにあるのは雑誌なんですけども、これら雑誌の表紙に大きく書かれている言葉は「これが国家なのか」という意味です。

　「これが国なのか」「これが国家なのか」というのは同じ意味ですよね。「セウォル号事故」の起こった２０１４年４月16日以降、２０１６年と２０１７年のろうそく集会のときにみんなが口を揃えるかのように言っていた「これが国なのか」というような言葉が、マスコミなどで同じように使われ始めたんです。
下の赤い字で書かれている言葉は「壊れた国」という意味です。この言葉は、国が何も出来ない、機能していない、そのような状態なのだろうということを表しています。
ところで、みなさん。「セウォル号事故」についてお聞きになったことはありますでしょうか。

〈多数の挙手と「はい」という声〉

李泰鎬
みなさん、結構、お聞きになられているようですね。
この「セウォル号事故」というのは304人が犠牲になったとても残酷な事故でした。セウォル号に乗船していた子ども達に「じっと居なさい」「動かずにじっと居なさい」という船内アナウンスをした後に、船長は沈没していく最中のセウォル号から先に逃げ出してしまったんです。ですので、救助される可能性の高かった子ども達がみんな亡くなってしまったんですね。加えて、マスコミはその間ずっと「みんなは救助されましたよ」というような間違った内容を報道していたんです。

SNSなどパソコンやネットが非常に発達している韓国なので、船内にいた子ども達はSNSなどを使って家族や警察に向けてのメッセージを送っていたんです。船内の状況であるとか「助けてください」というようなメッセージを子ども達みんなが送っていたんですけれども、マスコミは「全員救助されました」などと事実とは異なる報道をし、国家は何も動かず、事故が起きた午前中の7時間中、ずっと、沈没していくセウォル号に残された子ども達をほったらかしたんですね。

これが問題だったというように絞ってお伝えしにくいところもありますが、当時の政権に関する問題をまずお話ししたいと思います。事故が起きてからの7時間のあいだ、国家は何も動かなかったのですけれども、事故が起きた当時大統領であった朴槿恵氏は何をやっていたのかというのが未だにはっきりと明らかにされていないのです。その7時間に何をやっていたのかということをちゃんと認めて発言すればいいんですけれども、青瓦台大統領府は、「我々は『災難のコントロールタワー』ではない」という主張の一点張りで通していました。

ここではっきりと答えが出てくるわけなんですね。国民は、「青瓦台の大統領というのは北朝鮮問題や核問題ばかり考えていて、セウォル号事故のような国民の安全問題は気にしない」という答えがわかるんです。国家は、セウォル号事故を大型交通事故のような感覚や立ち位置で長らく語っていました。

このような国家の対応から、国民だけではなく不遇にも事故に巻き込まれてしまった子ども達の保護者などその家族からしてみれば「これは単に国家が救助責任を放棄したんだ」というふうにしか思えないわけです。ですので、「じっと居なさい」というふうに船長が言った発言には、とてもいろんな意味が含まれていると国民たちは受け止めるようになったのです。その船長だけではなく当時の大統領であった朴槿恵氏も国家も「じっと居なさい」と言っていたけれども、国民たちは、本当に「じっと居る」しかないのか、これはどういう意味なのかと疑問を抱くようになるのです。そして、国民たちは「じっと居る」ことをやめよう、忘れないで行動しようということに行き着き、「真相調査特別法」を制定するために、600万人もの人々が「真相を調査しましょう」という署名を行いました。

真相調査特別法の制定に関しては当時の与党が反対をしていたので、非常に大変な苦労が伴ったのですが、1年たってやっと制定されたのです。

李泰鎬

制定されるまでの間、保守団体とかマスコミは、それにかかわっているセウォル号事故に遭った子ども達の家族や団体の人たちの運動に対して妨害や侵害をずっと続けていました。法律の制定を支援した人たちへの妨害や圧力もありました。

今回、朴槿恵大統領が弾劾された理由としてもうひとつは、「ブラックリスト」を作ったということがあります。そのブラックリストに載っている人たちというのは、文化芸能人、文化芸術人など、いわゆるセレブリティ（著名人）でした。影響力の高い人たちなんですね。彼らはこの法律（真相調査特別法）を作る支援をしたのです。それで、支援した人たちをブラックリストに載せたわけなんですね。

セウォル号事故の特別調査委員会についてもそうです。委員会での真相調査もまだ何もされていないにもかかわらず妨害したり真実の隠蔽を行い、特別調査委員会の活動を強制終了させたのです。

李泰鎬

そのようなことがありまして、朴槿恵氏と崔順実氏のスキャンダル問題が出たときに、国民たちはこのスキャンダル問題はセウォル号事故ともつながっているんじゃないかというように疑うようになったんですね。

韓国の新聞社である中央日報は割と保守系のマスコミの会社なんですが、この中央日報が2016年12月にろうそく集会広場でどういった言葉が飛び交っているのかということを調査しました。その調査結果には「朴大統領」「ろうそく」「セウォル号」という言葉、キーワードですね、これらが出てきたわけです。2016年に調査された、2015年にもっともSNSのなかで使われたキーワードというのが「セウォル号」でした。

ろうそく集会が20回開催されたこの間、一番前の最前列に座っていた人たちというのがセウォル号事故の被害者の家族でした。この事故は「セウォル号の惨事」とも言われていますが、かかわっている方々、そして、被害者の家族たちは、何度も青瓦台へ出向き当時の大統領だった朴槿恵氏に会いたいということを訴え続けていたのです。けれども、ずっと警察に阻止されていました。この「セウォル号事故」というのは「国民が本当に国家の力を求めているときに国家は何も助けてくれない」「もうすでに壊れてしまった国」ということが象徴的に表されたものであるのです。

李泰鎬 ですので、国家というのは「私の安全は守ってくれないけれども、あんなふうに私を抑圧したり妨害するものなんだろう」と国民から思われるようになったわけです。

こちらの写真はセウォル号事故のあとに行われた行進の様子です。大学などの学生たちが黒い服を着て「じっと居なさい」などの言葉が書かれプラカードを持って、黙って沈黙の行進をしているんですね。

この写真は、この沈黙の行進のあとに再度ろうそく集会でみなさんが持ち出してきたプラカードなんです。そこには「絶対忘れません。必ず行動します」という意味の言葉が書かれています。

この写真は見えにくいのですが、ここに写っているものはたくさんの救命胴衣です。ある人が救命胴衣を持ち出してきて、セウォル号から救助されない304人の子ども達のことを想って、このように救命胴衣を広場に置き並べて1着1着にろうそくを灯している様子なんですね。

李泰鎬　こういった背景があることをおわかりいただけたと思いますが、もう少し詳しく見ていきます。

ろうそく集会のなかでは、2016年の集会から「これが国なのか」と叫ばれ始めました。ですが、韓国ではそれ以前から社会運動が行われ続けてきました。ろうそく集会以外の韓国の社会運動をこれからお話しして参ります。

2008年世界経済危機以降にもいろんな市民運動が行われました。みなさんご存知の通り、世界中でも知られている米国ニューヨークのウォール街金融危機が2008年にありましたね。韓国でも2010年から2013年にかけて「韓国版オキュパイ」と言われる運動が活発に行われていました。

韓国版オキュパイと言われる代表的な運動がいくつかあります。双龍（サンヨン）という自動車会社の解雇者による都市の真ん中での座り込み。これが2009年から2012年にかけてありました。ソウル市庁舎のすぐ近くに徳寿宮（トクスグン）という昔の宮殿があるんですが、その宮殿の隣の広場にみんなが集まったのです。

その後に、韓進（ハンジン）重工業という造船会社でも非正規職解雇反対に対する座り込みのデモがありました。ここで今までのデモと異なることが起きました。今まではこのような座り込みデモの多くは労働者が主体でありましたが、このときには労働者だけではなく、韓国全土から一緒に闘いたいと望む人たちがデモに参加したわけです。彼らは「希望バス」という一緒に闘いたいと望む人たちをデモの場所へと運ぶバスに乗って全国各地から参加しました。デモが行われた場所は釜山（プサン）にあったのですが、有志の人々は釜山のデモが行われている工場まで行ったんですね。結果、全国各地から1万人の人たちがこのデモに集結することとなりました。

李泰鎬　大学生たちはどうだったのでしょう。大学生たちは授業料の引き下げのための街頭集会を行いました。2009年から2011年にかけてのことです。

先ほど宇都宮先生ともお話ししたときに無償給食運動の件が出ていたのですが、この無償給食運動もこのときに始まりました。授業料引き下げ運動と無償給食運動この2つの運動に関して、現ソウル市長の朴元淳氏や人々は力を合わせて大きく事を動かしました。

ちょうど時を同じくして、韓米FTA（自由貿易協定）の反対デモもありました。ソウル市にある龍山（ヨンサン）地域では、地域の再開発に反対した住民たちと警察との闘いがありました。この闘いでは3名の方が亡くなられています。

そして、日本の福島原子力発電所事故のこともあり、韓国では2012年から2013年にかけて新規原子力発電所と送電塔の建設を阻止するという運動がありました。

また、みなさんもお聞きになれたことがあると思うのですが、済州（チェジュ）の海軍基地建設を阻止する極めて激しい運動がありました。

李泰鎬

このような運動を通じ、韓国ではSKY（スカイ）というグループが作られたのです。双龍の自動車会社の労働組合の人たち、龍山の住民たち、済州の住民たち、ここは済州江汀（チェジュカンジョン）というところなんですが、その人たちがみんな集まって運動をしたのが「SKYの運動」の始まりです。双龍―S、済州江汀―K、龍山―YのSKYです。韓国には「人の心は天の心である」という意味のことわざがあるんですけれども、「人は天であろう」ということで人々はSKYグループとなり一緒に行進をしたわけです。

李泰鎬

これが2012年の大統領選挙に影響を及ぼしました。ここで選挙の争点が経済民主化という経済政策に集中・集約されたのです。

弾劾裁判にかけられた朴槿恵氏の党は、とても改革保守的、リベラル保守的な傾向が強かったんです。あくまで、当時は。日本ではアベノミクスという言葉があるんですけれども……。

〈参加者　笑〉

李泰鎬

当時、朴槿恵氏の党は経済民主化をアピールした韓国で最初の保守勢力だったんですね。今まで民主党の人たちも提言してこなかったような福祉政策をアピールし、そして、党のシンボルカラーを赤にしたんです。与党が赤色を党のシンボルカラーとして選ぶ前までは、赤色というのはずっと共産党の色だったんですね。今まで韓国の野党の人たちは赤色を使ったことがないのです。これまでは野党が赤色を使うとなると、ちょっと共産的なイメージが強いんじゃないかということで、野党の人たちは赤色を使ってこなかったんですね。

ですので、保守勢力が党のシンボルカラーとして赤色を使うということは、ものすごく衝撃的でした。

ですけれども、朴槿恵氏の党はこの選挙で勝てるかどうかわからないということで、国民へアピールしたこととは違う行動をとったわけです。表では経済民主化をアピールしたにもかかわらず、裏では国家情報院など国の情報を扱う機関であるとか軍であるとかが政府機関のなかで様々な介入をしていたんですね。どういうことをしていたのかと言いますと、野党の人たちはみんな赤である、北朝鮮から来ているというような情報操作をインターネット上でずっと行っていたんです。

そしていざ朴槿恵氏が大統領になってみれば、その後には経済民主化が消えて、ただただ野党を相手にけなしてばかりいましたので、「朴槿恵氏はただ単に大統領になることが目的だったから、他のことにはやる気がないんだ」と、裏では笑い話となり、みんなは朴槿恵氏を嘲笑していたわけです。

李泰鎬

朴槿恵氏が大統領になったとたん、国は教科書の国定化を進めたりとか、本人の父親である朴正煕（パク・チョンヒ）元大統領をとても美化したりシンボル化するようなことばかりに集中し始めました。

ここで、私たち国民はこういった質問を自らに問い始めるんですね。「もしも、彼女が本当に改革保守勢力であったならば、福祉政策について集中していたならば、どうなったんだろう」と。

「セウォル号事故後にはそれ以外のことはもう何にもできなかった、余力がなかったんだろう」「セウォル号事故の直後には彼女はもう何にもやる気がなくなっていて、他のやるべき仕事はすべてやっていないんだろう」と、私自身は思っています。

李泰鎬

国民は「やるべきことを全然やっていない」「時代に遅れている」「改革が遅れている」そういう事々を国に感じたわけですね。

このことについて、警告といいますか、前もって実際に誰かが警告した出来事があったのではないかということを考えますと、２０１３年にあった壁新聞リレーがそうだったのではないかと考えられました。この壁新聞リレーは高麗大学からはじまっていろんな大学へ広まったんです。この写真は実際の壁新聞です。

壁新聞というのは壁に張り出す新聞ですが、初めにその壁新聞に書かれたのが「お元気でしょうか?」という言葉です。韓国のソウル市にある高麗大学の学生が「元気でしょうか?」「お元気でしょうか?」と先輩たちとか仲間たちに質問すると、それぞれから返ってくるのは「元気ではない」「死にそうだ」そういう言葉ばかり、というような内容がこの壁新聞には書かれています。「友達に訊いてみました。先輩に訊いてみました。後輩に訊いてみました。返ってきた答えはしんどいという答えだけでした」とあります。

私がこの出来事に注目する理由をお話しします。この壁新聞が張り出された時期というのが２０１３年12月の冬だったんですけれども、その翌年である２０１４年の春にセウォル号の事故があったんですね。

李泰鎬　こちらの映像をちょっと見ていただきたいと思います。ハングルばかりですので、ご理解いただけないところもあると思うんですが、雰囲気だけでも一緒に味わえればと思います。

〈映像が流れる〉

李泰鎬　これは、高麗大学の壁に紙を貼っている様子です。昔はこういった壁紙や壁新聞が流行っていたのですが、いつの間にか廃れてしまい、最近の大学では壁紙や壁新聞そのものを目にする機会さえもなくなっていたんです。

〈映像が流れる〉

李泰鎬　こちらの映像では「今までこのような辛い思いを抑えてきたんですけど、誰かがちょっとでも気持ちを動かすことによって、もう抑えたままではいられなくなって、こういう思いは爆発するんでしょうね」と高麗大学の学生が心の内を話しています。

韓国では、大学生たちは政治的な意識とか社会的・批判的意識はほとんど持っていないんじゃないかと思われてきたのですけれど、当の大学生たちのなかでは「本当に政治に対しての意識がなく無知であるのだろうか」ということを自分自身に問いかけ始めていて、考えてみたら政治や社会の話をする機会がなかなかないのでそのような話が出来なかったんじゃないだろうかという答えが出てきたわけなんですね。

「このような壁紙や壁新聞を大学の後輩が貼り出したことで、私たち自身の気持ちや訴えを言えるところが出来たんじゃないかと思えました。なので、私たちも自分自身の意見を、今、話しているんです。1970年代、1980年代よりも全体的に意識が下がったと言われますが、意識が全くないわけではなく、私たちが今話し合わなければいけない重要な事柄がきっとあるんだろうと思うので、こういう機会を活かしたいです」「私たちは『なぜ元気じゃないの？』というふうに訊かれない限り、自分の気持ちを答えられないというのが嫌です。今は21世紀でしょう？　だから、誰でも話せる場所、もっとみんな元気でいられるこういう場所、いろんな人がみんなで話し合えるような場所が必要であるんじゃないでしょうか。鉄道民営化に関してデモしてる人々やいろんな住民の人々、そして、教科書国定を反対する人々、そんな人々に関心を持つってことと、みんなを応援すること。これを私たちは最初にするべきだと思います」と、それぞれの大学生たちは語ってくれました。
映像のこのお菓子は差し入れなんです。「みんな、元気になれるように」という気持ちをこめての差し入れですね。こちらの壁新聞やメッセージボードには「元気じゃありません」など、そのような自分たちの訴えが書かれているんです。今映像に書き出された文字は「世の中に向き合う元気じゃない学生たち」という意味です。

〈参加者　笑〉

李泰鎬　これは地下鉄の構内でもみ合っている様子ですね。不法行進であるということで警察にさえぎられているところなんです。
みんなそれぞれがプラカードや段ボールや紙を持っていますね。たくさんの訴えがそこに書かれています。「こんな狂った世の中だけど、私たち、元気になれるように」など、様々な訴えが書かれているんです。

〈映像では呼びかけの場面が流れる。「元気でしょうか⁉」（メガホン型拡声器で力強く呼びかけ訊ねている）「……元気じゃありません」（プラカードを掲げて、声なく応えている）〉

〈参加者　笑〉

李泰鎬

この映像が撮影された当時は、鉄道職員たちがデモをしておりました。また、ストライキを起こしていたので、「私たちは支持します」というような言葉も壁新聞には書かれてます。

このような行動・運動もあるんですけれども、やはり元々「壊れた国」に対する怒りからの訴えがあったので、おそらく、みなさんはこのろうそく集会へ集まって来たのではないかと思われます。

ですので、初めは怒りから集まったのですが、そこに大勢の多様な人々が集まったために、そのなかで自ずと希望が見えてきて、またそこから集会というものが変化してきたのです。集会がお祭りやフェスティバルに変わり、いわば、みんなが参加して楽しめる一種の「文化」となったわけですね。

〈映像が流れる〉

李泰鎬　それでは、2016年のろうそく集会の映像をお見せします。この年この時、韓国では初めて青瓦台（韓国大統領府）の100メートル前まで行進できる許可（行進仮処分）が裁判所からおりたんです。まさにこの時でした。

李泰鎬　〈映像を見ながら指をさして〉この方々が、セウォル号の事故に遭った子ども達の家族です。こちらでは、ひとりの学生が当時の朴槿恵大統領に対して「あなたは退陣するべきです、自分のことをよく考えてみてください」と訴えています。この集会では物理的な衝突も何も起らなかったのです。連行者もゼロです。

この映像にあるように、ボランティアの方々があたたかい物を配ったりろうそくを配ったりしていたのですが、それにとどまらず、集会が終わった後のゴミ収集をも自発的に行いました。警察はと言いますと「『平和的にデモをやりましょう』という姿勢を尊重しますよ」ということで、市民を見守ったのです。

集会への参加人数の記録を更新したということもあり、海外のマスコミも興味を持ちました。今映像でコメントしている海外メディアの方は「市民たちはとても礼儀正しくて、お互い親切である」「民主主義的な社会をつくっていこうということが、ひとつの目的として現れ出たのではないか」とお話しされています。また、国民の3・5パーセント以上が非暴力の下で集会などに参加すると、きっと改革が起きるだろうということをテレビキャスターは述べています。6回目の集会もだんだんみんなが人数が増えてるということで、法律も変わっていくのかなということですね。

これは、中央大学の先生がテレビからインタビューに答えているところです。「このまま集会の規模が大きくなると国民の気持ちが国へと伝わるので、朴槿恵大統領もこのままいられないだろう」と言っています。

集会の参加者が馬のオブジェに乗ったりしていますね。この張りぼての大きな人形は縄に縛られた朴槿恵大統領を模しています。

こういうことが重なって、この集会は「市民が自発的に集まった」というイメージがものすごく強いんです。西江（ソガン）大学の先生はこのように見ています。「国民たちが怒りを共有し自分たち市民は国からやられっぱなしではいられないのだと、このように集まることで数ある問題を解決できるのではないか」

李泰鎬

ご存知の通り、韓国で行われる集会というのはいつも平和的ではありません。警察との衝突が頻繁に起こりました。衝突時には警察側では集会を封鎖したりとか行進を禁止するなどしましたし、集会や行進が許容範囲であるとしても「交通が非常に混雑するのでやめてください」というような形で市民の行動は遮られ続けてきたわけなんです。

実は、この2016年の集会のちょうど1年前となります2015年11月にも別の集会（農業政策への抗議集会）があったんです。警察側はこの集会を全面的に封鎖・阻止したいということで、集会に集まる市民たちへ特殊放水車を使った高圧噴射式放水を行いました。その結果、その集会へ参加していた農民のおひとりが昏睡状態となりました。

このようなことが起こっていますので、集会をする側（主催者）としては、どのようにすればみんなが安全に無事に行進出来るのか、また、どのようにすれば安全で平和な集会空間と行進環境を確保出来るのかが大きな課題でありました。

今までは、警察側から集会や行進を禁止されますと、行進するのをやめたりとか、あるいは、罰金を払ったうえで行進したりして参りました。けれども、今回の集会（ろうそく集会）は裁判所に対し「行進してもいいのかどうか」という公の判断としての行進仮処分決定を得るために申立てを行ったのです。今までは、行進してもいいですかと裁判所に問うという行為は、むしろ、私たちにとって不利でありました。ですので、今までは行いませんでした。けれども、集会の安全と平和な環境確保が重要でしたので、今回のろうそく集会に関しては裁判所へこの案件を持って行ってみようということになりました。そして、裁判所から「行進していいよ」という意味の行進仮処分決定を獲得したのです。それにかかわっていたのが、私たち「参与連帯」です。

やはり、裁判所でも今回は「集会の行進は本当に正しい」という判断でした。警察側が集会や行進を遮るという行為が違法であるだろうと言って、市民側に手を挙げてくれました。6回目の集会までずっと裁判所へ通い続けて、ついに行進についての仮処分決定を勝ち取りました。それにより、保障されたことは他にもあるんです。これまで、青瓦台の100メートル前までの行進は禁止されていたのですが、これがしっかりと保障されたのです。

また、ソウル市からもいろんな協力をいただきました。集会を行うためには「集会できる場所」が必要なんですけれども、当時はそういった場所がありませんでした。ろうそく集会の開催日には、ソウル市側では広場（光化門広場）において何日かの日程で行事をする予定だったため、その行事日程をキャンセルしない限りにはろうそく集会の開催が出来ませんでした。幸いにも、ソウル市が予定されていた行事日程をキャンセルしてくれたので無事に開催することができました。そして、安全確保のための要員を配置してくれたり、簡易トイレも設置してくれました。

市民たちも安全な集会を行うために、集会のあとにはみんなでゴミを収集したりお互いが衝突しないように自発的な活動をしました。

李泰鎬

この写真をご覧ください。ご覧いただいてわかるかと思うのですが、これは警察側が市民に向けて水を高圧放水している様子です。警察の車両を並べ道路を塞ぎ、人が進んで行けないよう遮ったり高圧放水したりしてこのように妨害をするんですね。並べられた警察車両が壁の役割となっています。

このことについて、裁判所では「違法であるだろう」とずっと言っているんですが、それにもかかわらず警察側はこの車両を壁として使い続けていました。「車両を壁として使っていることは違法であるだろう」というこの結果を裁判所から引き出したのも、私たち参与連帯です。頑張った結果、引き出されたものなのです。

この写真のなかでは、白南己（ペク・ナムギ）さん、農民の白南己さんという方がこの警察側からの高圧放水が原因で昏睡状態になってしまったんです。結局、白南己さんは亡くなられたのですが、2016年のろうそく集会は、この彼の身上に起こったことからの影響もありました。

こちらの写真は、2016年に韓国大統領府である青瓦台100メートル前まで行進が出来るようになったとテレビで報道された様子です。

李泰鎬
こちらの画像は「ソウル市ではどこに消防車、救急車が配置されているか」「どこに簡易トイレがあるのか」というような情報をしっかりとSNSなどに掲載している様子です。
〈映像が流れる。ろうそく革命運動の平和的集会に遭遇した世界各国の人々が、驚きとともにこの運動を讃え希望を見出し自国との比較や自国の問題との共通点などをそれぞれに述べている。〉

李泰鎬
この映像は外国人へのインタビューなんです。特に詳しい説明はしませんが、ひっくるめて言いますと、外国人たちがこの集会についての感想を述べているんですね。とても安全でありとても平和な集会だということに驚いているというような感想です。

李泰鎬
次のスライドに移ります。
ろうそく集会はこのような平和的な集会ではあったんですけれども、そのなかであってもやはり緊張感がありました。その緊張というのは警察に対するものではなく、舞台と広場に集まってきた「市民たちとの関係」への緊張です。はっきり申し上げますと、市民運動に関わっている人々が主催した舞台とあって、そこに参加する市民たちとの関係をどのように築いていくのかという課題がありました。

みんながまず一番考え望んでいることは大統領の退陣に関すること、それとともに浮かび上がってくるものというのが積弊清算や社会改革です。加えて、みんなの共通の要求や望み意外にもそれぞれ各様々なところでいろんな要求や望みが出て来るのです。多くの人数、いわゆるマジョリティ（過半数を占めるような多数派）の要求や望みもあるんですけども、社会的弱者やマイノリティ（少数派）の権利に関しての要求や望みも出て来ます。

集会においては様々な意見や批判が執行部に寄せられました。執行部へは「善良なる代行者」としての行動とならないようにとの意見もあったのですが、「舞台権力」に対する市民からの批判もあったのです。

このことから、私たち主催者側の考えとして共有している「基調発言（Ｋｅｙｎｏｔｅ Ｓｐｅｅｃｈ）」と、「多くの人たちが自由に発言できるような場」というものが大事であるのだろうと思いました。

いろんな抗議もありましたのでそれぞれの抗議内容を見てみました。見えたものは、女性に対する卑下発言やジェンダーで問題となる発言が多かったということです。その理由は、退陣を要求していた朴槿恵大統領が女性であったからです。ですので、朴槿恵氏に対する間接的な抗議として女性に対する卑下発言や女性を見下すような発言が多く見られたわけです。

運動圏に関する主張があまりにも行われ過ぎているのではないかという批判もありました。良心宣言しなさいというような意見もあったのですけれども、それに対して集会の主たる内容ではないのではないかという意見が出たりと、市民からの様々な意見がありました。

李泰鎬

もうひとつは、政治家など政治的な発言をする人への拒否感や違和感がありましたので、彼らを舞台に上げないということが原則としてありました。そのため、この集会ではひとつの政党の色が出るとかひとつの政党を中心に動くというようなことはやめようということ、そこに気をつけていました。ですので、舞台に出て発言する人たちとそういった主催者側の考えや方針を共有しようということで、私たちはガイドラインとしてのマニュアルを作成し提供しました。退陣行動の「尊重と配慮する集会文化マニュアル」というものです。講演時間の関係上、作成したマニュアルについての説明は省きますが、短く申し上げますと、女性や障害を持っている方々、そして、子どもたちに関しては否定的発言をするのは控えようというような事柄が主な内容となっております。

李泰鎬
市民の拒否感と批判から政治的な発言する人を舞台に上げるのをやめようとなったのは、政治的に関わっている様々な課題があるからだと推測されます。

崔順実（チェ・スンシル）氏のスキャンダルも、今までの政治がはっきりさせずに目をつむったからこそ起こったわけです。民意を反映できなくて葛藤を解決できない、そういった見方もあるのですが、今回だけではなくて２００２年からずっと集会はあったわけです。

この写真は集会ではないんです。これは、２００２年の日韓サッカーワールドカップ（日韓W杯）の様子です。こういったフェスティバルの経験もあるわけですね。

こちらの写真は同じく２００２年にあった集会なのです。どのような集会だったのかと言いますと、韓国で女子中学生２人が訓練中の米軍装甲車によって死亡した事件がありました。その追悼ろうそく集会です。

この写真は、狂牛病危機にあるアメリカの牛肉を輸入する決定がなされたことに対する２００８年の抗議デモの写真です。ここの部分をご覧下さい。これが有名な「車の壁」です。

その後、国家情報院が大統領選挙に関する介入をしたのではないかということで、２０１２年の大統領選後にそれを糾弾するろうそく集会があったわけです。それが、２０１３年の国情院（国家情報院）の大統領選挙介入糾弾ろうそく集会です。

李泰鎬

「なぜ韓国では明らかに偏った政治的議論がなされるのか」ということについては様々な理由や見解があります。まずひとつに、「韓国は分断体制になっている」ということがあげられます。内戦の延長という感覚があるのです。それで、相手を敵のような対象に見てしまっているということですね。私たちはこれを「戦争政治」と呼んでいます。

例えば、ろうそく集会に反対する団体があったのですが、彼らは韓国で「テグキ」と呼ばれている太極旗（韓国の国旗）とアメリカの星条旗を持ってきたうえにプラカードには、「赤は殺してもいい」と書いていました。この赤というのは共産主義者を意味しています。彼らのとった行為というのは保守的マッカーシズム、いわゆる、反共産主義に基づく社会運動に近いですね。1950年代、世界大戦後のアメリカでは共産主義者であると告発を受けた人々が攻撃されました。これは共産主義者に対する思想の取り締まりである「赤狩り」だけでなく、リベラル系主義者に対する「リベラル狩り」の側面も持ち合わせていました。長い間、韓国ではこうした政治の内戦状態が続いています。このような状態がほとんどの期間を占めているんです。

韓国の政治の構造を見ると、マイノリティ（少数派）の意見があまり反映されないという、そのような政治体制になっております。

第19代総選挙を例にとってみましょう。2012年にあった総選挙なんですけれども、その当時、第一党だったセヌリ党は42・8パーセントを獲得しました。今、与党になっている当時の野党は36・5パーセントを獲得しています。これの割合を合わせ理論的に考えると国会のなかでは238議席を占めることになるはずです。ですが、実際に占めた確保議席、実際に議員の確保のされている議席は279議席と、全体の議席の93・1パーセントとなっているのです。それぞれの党が自分たちが獲得した席よりも41席以上多く獲得しているという意味になります。

ですので、41席を獲るべきマイノリティ（少数派）の党は議席をぜんぜん獲得出来ていないということがわかります。選挙民心（国民の意思）とは違う国会議席の配分となっているということがわかります。

これに関しては世論を反映すべきマスコミの問題も絡んでいます。韓国では言論の自由指数がとても悪くなっています。最近、日本より低いとも言われているんですね。

ここで、もう一度、ろうそく集会の広場に出て来た私たちというのはいったい誰なのかということを考えてみました。私たちはいったい誰なのか。私たちは自由な市民です。ですので、自由な市民たちが自助的に行動したわけですね。

自由な市民は、国家からまったく保護されないという意味で、福祉システムから自由です。国家を信頼出来ないので、国家が許容してきた画一的なイデオロギーから自由です。また、政治が自分たちの発言を代弁してくれないという意味で自由です。選挙のときにある党に投票するとしても、そこに従属することがないという意味で自由です。韓国では伝統的な社会の組織もぜんぶ壊れてしまった。そういう意味で「自由な市民」なのです。私たちは「あまりにも自由すぎてあまりにも危うい市民」です。

ですので、街に出て広場に集まらないとやっていられないという人たちがこうして集まって来たというわけです。「あまりにも自由すぎてあまりにも危うい市民」の自助行動がろうそく集会であったとも言えます。そして、そういう最中にあって、あらためて民主主義を発見出来たわけなんですね。

李泰鎬

昔起こった高度成長によって「自分たちにも福祉的に何かいいことがあるんじゃないかな」というようなおこぼれ的な希望があったのですが、それもなくなったんです。

今までは、民主主義というと「産業化」「民主化」「先進化」が大事だろうと思ってやってきたのです。ところが、現実は違っていた。

固定概念化されていた今までの民主主義を失ってしまってから、「福祉」「情報化」などが大事だろうというような自覚が芽生え始めたのですね。

あらたに見つけたのは、民主主義なくしては福祉・民生・平和・安全はないという自覚です。朴槿恵政権において、朴槿恵氏は国定教科書をつくったり、自分の父親をシンボル化するために銅像などもつくろうとしたのですけれど、そんなことよりも元来の民主主義というのはもっと効果的なものであるだろうというような様々なことが表に出ていたわけですね。このようなことから、朴正煕大統領時代には戻れないのだと明確になってきました。そして、高度成長と落水効果（トリクルダウン）に対する幻想や昔に思い込んでいた民主主義の妄想からの脱却が始まります。

実際に世論が変わったという調査結果も出てきました。今までの前の世論調査では「民主主義は他のどの制度よりもいい」という考えが52・7パーセント（２０１６年６月）だったのですが、その後、75・5パーセント（同年12月）となっています。「状況によって独裁政権も必要であるだろう」という考えは、28・6パーセントから15・2パーセントに減少しました。世論が変わったことにより、集会の効果に対する考えも変化してきました。

李泰鎬

国民の75・5パーセントが「国民としてはっきりと意思を表すことに集会は効果的である」という考えであることがわかりました。「集会によって自分の意思が国政に反映される」という考えが60・3パーセントです。

このように集会というものが国民に意識されるようになりました。集会というものへのとらえ方や意識の変化も表れ、「集会もフェスティバルのように楽しめる一種の文化だ」と感じている国民は69・2パーセントです。これまでは、「集会をしても何も変わらないんだろう」と、傍観したまま放ったらかしで興味のない感じだったんですけれども、今、韓国では積弊清算とか社会改革、参加民主主義の制度化について議論が活発に行われています。市民たちが自己決定権を持てるように、自由な発言ができるように、このような改革が必要であるだろうという考えが背景にあるからです。

今後、韓国では特権の癒着構造をなくして議員が民主的に当選するということが必要になってきます。ですので、政治を変えることがとても大きな重点課題となっています。根本的に政治を改革するのも大事なんですけれど、国民たちが幸福で安全に生活できるように、韓国の「直接民主化」という視点から、韓国の憲法を改正するべきであろうという話も出てきています。

ここに出てきた韓国の憲法改正の話というのは、ろうそく市民革命以後の大韓民国をよりよい主権と人権の基盤の上に乗せ、国家権力と憲政秩序がその主人である市民とすべての人々の幸せと安全、さらに、すべての生命の平和な共存のために服務できるよう制度化しようというものです。

あと少しだけ予定していたお話の内容が残っているんですけれど、講演時間の関係上ここまでとさせていただき、次の質疑応答のなかでまたお話しできればと思います。

長い時間、ご静聴をありがとうございました。

〈参加者　大きな拍手〉

司会　李泰鎬さん、ありがとうございました。

《第二部》

司会　では、スタートします。よろしくお願いします。

宇都宮　先ほど集まった青色の質問用紙を見ましたけれど、大変多くてですね、すべての質問へのお答えを李泰鎬さんにお願いすると夜中の12時をまわりそうなので、ピックアップしていくつかお答えいただこうと思っております。

こういう機会はまた持ちたいと考えております。本当に韓国ソウル市は近いですからね。それでは、李泰鎬さんへの質問へと参りましょう。「極めて基本的な質問なんですけれど、先ほどの説明で再三『運動圏』という言葉が出ていましたが、『運動圏』とは何ですか」というご質問です。

李泰鎬

「運動圏」というのは運動団体や活動家の総称で、よく使われる言葉です。

「運動圏」という言葉は、ある時には良い意味として使われたり、ある時には否定的な意味として使われています。

宇都宮

よろしいでしょうか？　メディアに関する質問がたくさんあります。

「日本のメディアは、どちらかと言えば政権寄りなのですが、ろうそく革命運動の報道、例えば、テレビ放送局のＫＢＳや新聞社の朝鮮日報などの報道の仕方はどうでしたか」というご質問ですとか「テレビメディアとの関係においては、いかにしてその影響力に対抗したのでしょうか」ですとか、メディアの報道に関わるご質問が多く寄せられています。

李泰鎬さん、これに関してはいかがでしょうか。

李泰鎬

ろうそく集会については地上放送のマスコミはとても否定的な内容を取り上げていました。

ですが、これは日本とは異なる所だと思います。ろうそく集会についてとても否定的に表現されているとはいっても、「ろうそく集会がある」ということは放送されているんですね。ここが日本と大きく異なる点だと思います。

また違う側面から申し上げますと、保守的な役割をしてきたマスコミがろうそく集会についてはとても肯定的にとらえていたということがあげられます。韓国では保守勢力、保守のマスコミと言われている朝鮮日報・東亜日報・中央日報という韓国三大保守新聞社が、このろうそく集会についてはとても肯定的なものとしてとらえていたのです。朝鮮日報がろうそく集会についてとても肯定的にとらえていたというのは、私たちも非常に意外に思いました。

前半の講演時にスライドに出しました崔順実事件ですが、崔順実氏が朴槿恵氏の影の勢力だというスキャンダルを記事化しマスコミに取り上げた一番最初のマスコミが、朝鮮日報とハンギョレ新聞なんですね。朝鮮日報はとても保守的な新聞社ですし、ハンギョレ新聞はリベラル系の新聞社なんですが、この2つの新聞社が崔順実氏と朴槿恵氏との関係の記事をずっと出し続けていたんです。

朝鮮日報が朴槿恵氏についての記事や別の記事などを書いたときに、朴槿恵氏は表面的には朝鮮日報の税務調査などをしながら、裏では税務調査を厳しくするぞという半分脅かしのような行為をしていたらしいんですね、朴槿恵氏側から。ですが、朝鮮日報はそれに屈せず、朴槿恵氏に関する記事をずっと出し続けていったのです。

なぜ保守系の朝鮮日報がそのような行動に出たのかですけれども、ここからは私の個人的な考えになります。この朝鮮日報というのは韓国のマスコミでも主流的なマスコミですしキング・メーカーとして様々な活動を行ってきたので、朴槿恵氏を批判しながら新しい保守勢力を引き出して、政治的なコントロールをしていこうというような動きがあったようです。ですが、ろうそく集会があったことをきっかけにそのコントロールがなかなか出来なくなったのが現状だということです。

もうひとつ注目しているのが中央日報です。JTBCという放送局が韓国にはあるのですが、この放送局は中央日報が設立した会社なんです。みなさんご存知の通り、中央日報は韓国の大手企業でありますサムスンが絶大な支援をしている新聞社です。中央日報のオーナーの多くを占めているサムスンの中の誰かが改革・リベラル的な考えを持っていたんですね。ですので、ろうそく集会というのはサムスンにとって非常に不利に働くにもかかわらず、独立的な考えであるとして中央日報を含めたマスコミが集会の内容を発信し続けました。KBS、MBCなどの地上波はろうそく集会について極めて否定的に放送したにもかかわらず、中央日報の傘下の会社であるJTBCという放送局は、崔順実氏のスキャンダルなどの事ごとに関して特に集中的に放送していいました。

宇都宮

お話の途中ですみません。

韓国と日本のメディアの違いについて私からも少しお話させていただきたいと思います。今年2017年に私たちが訪問した韓国ソウル市での調査において、韓国と日本のメディアの違いを感じた出来事がございました。KBSとMBCだったんでしょうか、放送局が社長の退任を求めて長期間ストライキを行っていたんです。日本の放送局がストライキをするというような話はほとんど聞いたことがないのですが、この放送局のストライキについても李泰鎬さんから紹介していただければと思います。そして、このストライキは今もまだ続いているのかどうかも教えていただけますか。

李泰鎬

宇都宮先生がおっしゃっている放送局のストライキはつい最近終わりました。結果として、MBC放送局の社長は辞任することとなりました。

実は、5年前にも放送局であるKBSとMBCのストライキはあったのですが、ストライキを起こした職員は全員処分となったんですね。5年前にストライキを起こして処分となった職員達のなかには私の仲間達もいました。仲間達は結局のところ解雇となったのですが、放送局の記者やプロデューサーなどといった仕事をしていた彼らのなかには、ストライキから解雇となるまでの間、他の部署などへ転勤させられた人もいまして、本来の仕事とは違う、水泳のプールの掃除とかスケート場の掃除などといった仕事をさせられたわけです。5年前にあったこのような事が尾を引いて今回のストライキに至ったのです。

「公正な放送を実施したい」「公正な言論を取り扱いたい」ということが事の発端だったと、ストライキを起こした職員たちは話していたのですけども、果たしてその理由が合法的なストライキに当たるのか当たらないのかということが法廷のなかでのひとつの争点となっていました。5年前にストライキを起こした理由が公正放送のためにストライキを行ったということで、このストライキに対する裁判所の判決は合法であるだろうということになりましたので、復職といいますか、みんなは自分がしていた本来の仕事に戻れるようになりました。

解雇された人のなかには私の友達もいたのです。その友達はプロデューサーだったんですけれども、解雇となってから末期がんになってしまったんですね。末期がんを患う人間として大変な苦労をしながらも、ろうそく集会の場では前に出て来てくれて、いろいろな演説をしてくれました。

宇都宮

このろうそく集会についてみなさんからのご質問が来ています。

「ろうそく集会の世話人といいますか、事務や裏方の執行部といいますか、そのような役割にはどのようなグループが集まったのでしょうか」「先ほど政治家が参加しても発言はさせないという原則だとおっしゃっていた部分なんですけれども、政治家が参加をしてもまったく発言をさせなかったんですか」というご質問です。こちらについて教えていただけますか。

李泰鎬

まず、集会に関しましてお話させていただきます。財政的なことは市民からのカンパといいますか、市民たちの力をかりて出来ました。

ろうそく集会の舞台に参加・参与した人々というのは、韓国でもとても人気のある歌手やグループだったんですね。集会に参加する市民の人数が増えてまいりましたので、最終的には200万人以上の人々の前、彼らの立場からすると観覧者になりますが、そういう大勢の人々の前で歌ったり踊ったりするのはそうはなかなかない機会ということもあり「参加したい」と、わざわざ申し出た人もいたんです。そういった形での舞台への参加・参与が行われたんですね。

ろうそく集会の広場は200万人を収容出来るようなコンサート場のようになるわけなんですけれども、そうなるとマイクの性能が本当に大事になってくるんですね。これは裏話なんですが、私たちにマイクを提供してくれたマイク製造業の会社は「200万人も収容できるような場所でも使える性能のいいマイクですよ」と、現在もろうそく集会の事例を宣伝に援用しているそうです。

〈参加者　笑〉

李泰鎬
　集会で本当に大事なことは「募金」そして「自由発言」なんですね。募金を集めるということと自由に発言出来る環境づくり、それらをすべて取りまとめるスタッフというのがボランティアとして200人から300人いたんです。特に募金に関しては本当に信頼出来る人じゃないとなかなか任せられない部分がありますので、毎回毎回、同じ人に頼もうということになりました。20回行った集会のうち毎回固定して募金活動をしたボランティアの人がいたわけです。

李泰鎬
　政治家に発言させなかったのかというご質問へのお話になりますが、最初のうちは、ひとりかふたりくらいの政治家に舞台に上がってもらっていろいろと発言してもらったんですけれど、これがあまりにも反応が良くない。
　市民たちに人気がなかったんで「もうやめよう」ということになりました。それ以来、もう舞台の上にはあがってもらっていないらしいです。

〈参加者　笑〉

李泰鎬　どのくらい市民たちに人気がなく反応が良くなかったかといいますと、例えば、ソウル市長の朴元淳市長もあそこまで集会への支援をしてくれたにもかかわらず、舞台に上がって発言をした際にはいろんな人からヤジが飛び交ったんですよ。

〈参加者　笑〉

李泰鎬　集会する限りにはやはり成功させなければいけないということもありますので、現ソウル市長のようにとても有名な政治家が来るとしても、一緒に舞台の上に立つのではなく、彼らには一番前に座ってもらって「このような人も集会に一緒に参加していますよ」「一緒に参与してますよ」というような集会のアピール目的として参加させようということにしました。20回あったすべての集会が終わって、弾劾も終わって、本当にすべて終わった最後の最後に、政治家のひとりとしてソウル市長の朴元淳さんを紹介しました。紹介しただけで彼にはいっさい発言させなかったのです。「こういうふうに協力してくれました」というような紹介のみです。

〈参加者　笑〉

宇都宮　さっきのマイクのお話を伺って思い出したのですが、マイクやスピーカーなどの設置方法なんですけども、巨大クレーンで広場の通りの両側からスピーカーを吊したと聞いています。そうなんですか。

李泰鎬　ソウルにいらっしゃったことがある方はご存知だと思うのですが、光化門という大きな通りがある場所があるんですね。主にそこが今回のろうそく集会の場所だったのですが、本当に大きな大きな通りがあるんです。そこの大通りをまっすぐ行くとソウル市庁舎があるんです。そのようなメインストリートなんですね。

そこにみんな集まって来たんですけれども、大通りの一番前のところに巨大なスクリーンを設置しまして、大通りの中間地点のところどころにも大きなスクリーンを置いたりですとか、スピーカーを置いたりしたんですね。大通りの左右にスピーカーを置いたんですけども、配線の問題がありました。配線に関しては集会の前日に行いました。一番大きな超巨大スクリーンはソウル市に融通をきいてもらって、最初から最後まで設置しっぱなしです。ずっとそのままにしておきました。

宇都宮

ここでソウル市長のお話がございましたので、寄せられたこの質問を。

「先ほどのお話にありましたように、ソウル市は集会を支援するために警察放水車両に対する水の供給をストップしたり、地下鉄の終電の時間を遅らせてみんなが安全に帰れるようにしたり、簡易トイレの設置をしたり、また、清掃職員を動員して集会のあとの掃除をするなど、こういう形の支援をされていたわけですが、集会へそのような支援をしたソウル市長の対応に対して保守系の人からの市長批判はなかったのですか」という質問です。

李泰鎬

朴元淳氏はソウル市長になった途端に保守勢力から様々な攻撃を受けているんですね。例えば、国家情報院など、民間人を一番に保護しなきゃいけない機関が一番に彼を誹謗中傷したんです。

このように、ろうそく集会のあった期間には保守勢力からの攻撃はあったんですけれども、マスコミのなかでも保守派のマスコミが集会に関してとても肯定的な記事を出したりですとか、あるいは、中立的な記事を出したりしていたので、マスコミからはそこまでけなされてはいなかったんですね。

おそらく、朴元淳市長は次の大統領選の有力候補としてあまり期待されていなかったので、ある意味、このことが不幸中の幸いとなり、保守勢力からそこまでけなされてはいないかもしれないんですけども。

〈参加者　笑〉

李泰鎬

先ほど、集会の初期に朴元淳市長が舞台に上がって発言した際には、いろんな人からのヤジが飛び交ったという話しをしたんですが、その集会の直前に彼は何を発言したかといいますと「次の大統領選挙に出ます」というアピール発言をしたんですね。その後に舞台に上がったものですから、みんなからヤジを浴びたわけなんですね。ヤジを浴びた後の話もあるんですよ。そのようなことがあってから「もうやめます、次の大統領選に出馬するのは……」という発言を旗幟鮮明《きしせんめい》に行いましたので、この発言以降、いろんな人から激励を受けたということです。彼は頑張りました。

〈参加者　笑〉

宇都宮

それから、こういう質問が来ています。

「ろうそく集会や行進などで軍が介入する恐れは亡かったのでしょうか」それから「若い人たちの関心を高める工夫はあったんでしょうか」という質問です。

李泰鎬

まず、軍の介入についてお話しいたします。まだそれ程知られていないということなのですが、2014年に保守勢力もリベラル勢力も反発した「軍の選挙への介入」がありました。おそらく、秘密裏でなんらかの介入をしたのでしょうが、なにも露呈していないのが現状です。今になって考えてみますと、介入していないというようなものではなかったです。おおかた、本当に重要なところに軍は介入したのだろうと思われていたのです。

このことは糾弾されました。まず、国会で弾劾訴追案が出てから朴槿恵大統領に関するすべての質問が停止され、その後、軍が外交をしていることが明らかにされました。THAAD（サード・弾道弾迎撃ミサイルシステム）の配置です。THAADの配置については進められていたので、そこから「これはきっと軍が外交への介入を行ったのだ」というように認識されたわけなんですね。

結局、後から明らかにされたんですけれど、韓国国防軍の国防長官であった金寛鎮（キム・グァンジン）氏が選挙に介入したということでした。この人は元軍人なんですけれども、彼は朴槿恵氏が大統領になってから国家安保室長を務めていました。朴槿恵氏のすべての質問が停止されたにもかかわらず、この金寛鎮氏が自らが直接アメリカへ赴いてTHAADの配置に関して交渉応諾したわけなんです。

その後、今の大統領となった文在寅氏は、大統領就任直前に金寛鎮氏が勝手に合意をとりつけたこのTHAADの配置について、状況をひっくり返そうとしているのですがなかなかスムーズに事が運んではおらず、数ある問題のなかのひとつとして今も存在しているというのが現状です。

宇都宮

若い人やいろんな人への集会参加の呼びかけには、世話人あるいは参与連帯としてどのような取り組みをされたのでしょうか。

李泰鎬　ろうそく集会において私たちは別段何もやっていないと言っても過言ではないほど、若い人たちを中心にして始まった行動なのです。先ほどの講演ではお話ししていないので、例をあげて説明しましょう。

崔順実氏のスキャンダルの、事の発端というのが梨花女子大学の学内で起きていた問題です。学内の問題について梨花女子大学の学生たちは納得出来ずにいました。それで、座り込みでデモが起こったのですけれども、座り込みデモの際に大学の総長が警察を呼びまして警察が女子大学へ立ち入ったのです。そのことでいろいろ問題になり、卒業生たちもこの問題に注目したんですね。

そういったなかで、同大学の学生であった崔順実氏の娘である鄭維羅（チョン・ユラ）さんだけが優遇されていたというような問題を抱えていたことも明らかにされました。学生たちの自主的な行動がそうさせたんですね。

韓国では社会運動に興味をもっている人たちの年齢が随分と高齢化しています。加えて、ほとんどの若い人たちは社会運動に興味がないというのが現状としてあったんですね。ですが、セウォル号事故が起こりました。この事故はその当時高校生であったり大学生であったりした若い人たちにとってものすごく衝撃的な事故となりました。また、先ほどもご紹介しました2013年の壁新聞リレー、それらが若い人たちへ大きな影響を与えたのです。

李泰鎬
もっと時代を遡りましょう。

2008年にアメリカから狂牛病になっている牛の肉が輸入された「狂牛病牛肉輸入問題」について輸入を反対したのが学生たちなんですね。そういうような安い牛肉が国内に入ってくるとなると必ず学校給食の食材としてまわされ使われるのだろうと危惧した学生たちは、若者がちゃんと自分たちで動かなきゃいけないんだということで自ら動き始めたんです。2008年というこの年、ここから若い人たちのいろんな動きがはじまったと言ってもよいでしょう。

若い人たちの社会運動への参加の規模は本当に小さいんですけれども、韓国の場合、社会運動に参加する人たちの特徴として女性の参加率、参与率が高いことがあげられます。2011年にありました「無償給食に関しての運動」も女性団体からはじまりました。そして、講演内でご紹介しました「希望バス」に乗って労働組合運動に参加した人たちのほとんどは女性です。済州の海軍基地を反対した人たちも女性が多かったです。言うまでもなく、弾劾に関しての運動も女性が多かったです。セウォル号事故に関しての運動で一番力を合わせて参加したのはお母さんたちです。

ですので、私たちの集会では若い人たちや女性への卑下発言をするなど彼らを見下すような発言をするのだけはやめましょうと、集会の前にしっかりと伝えておいたんです。

宇都宮
次に裁判所のことをお訊きしたいと思います。
先ほどの李泰鎬さんの講演にありました青瓦台まで100メートルのところまで行進を保障するような裁判所の仮処分決定を得て、それで安全で合法的な行進が可能になったということ、それから、朴槿恵大統領に対する憲法裁判所による罷免決定が今年2017年3月10日に行われていますが、これらを知ったうえでのご質問だろうと思うのですが「韓国の裁判所はきちんと独立して機能しているんでしょうか」というようなご質問が寄せられています。

李泰鎬
韓国の裁判所は独立しているとは言えません。
〈参加者　驚きと苦笑〉

李泰鎬
日本より酷いということは言い切れますね。政権に対する影響力もことのほか弱いです。とは言え、憲法裁判所の結果結論が本当に大事なものです。ですので、朴槿恵大統領の弾劾に関しても、市民の皆さんは集会をやめられない、なかなかなかろうそく集会をやめられなかったということがあります。

韓国にはリベラル系の統合進歩党という政党があったのですが、そういうリベラル勢力を無理矢理憲法裁判所が解散させたんですね、２０１４年12月に。この党を解散させた理由としては「この党は内乱を起こす可能性がある」ということで、いろんな罪からして危ないとして憲法裁判所は解散宣言を出して党を解散させました。ですが、検察など様々な機関が調査してもそういった罪、証拠がまったく出てきませんでした。

裏の話では、憲法裁判官のなかで弾劾をさせないようにしようというような動きをした人がいたそうです。

面白いことですけども、元大統領が弾劾される直前の国民世論調査では弾劾に賛成する国民は78パーセント、国会でも弾劾訴追案を通す際、弾劾を賛成した議員は同じく78パーセントだったんですね。いろんな考えの人々も保守的な人々もそれを肯定的に考えていたということがありました。このような世論の影響もあって、今までずっと朴槿恵氏をかばっていた憲法裁判長や裁判官たちも含め、結局、憲法裁判所は８人の満場一致で罷免を決定したわけなんですね。この決定は、歴史上今まで見たことのない異例の出来事であるということです。

マスコミや市民の世論によって、今まで朴槿恵氏をかばっていた裁判官たちが満場一致での罷免を決定したのです。

〈参加者　拍手〉

李泰鎬　余談ですけども、もしも憲法裁判所が罷免を満場一致で決めなかったなら、すでに裁判長や裁判官はすべて亡くなっていたかもしれないと思います。韓国の人たちの気質はものすごく激しいので。

〈参加者　驚愕と爆笑〉

宇都宮　だんだんと時間が押して参りました。

李泰鎬さん、講演のなかで、「韓国の選挙制度を変えなければいけない」というようなお話をされていらっしゃいましたが、選挙制度はどのように変えるのが望ましいと考えているか、そのお考えをお聞かせください。

李泰鎬　先ほど申し上げました通り、韓国政府は第一党と第二党にとても有利な政治の構成をしています。

1988年に選挙制度が正常化したということが大きな要因でもあるのですけれども、昔、韓国は独裁政権が何よりも強かったので、独裁政権をけん制するための「第一野党」という力のある野党をつくるべきだということがあったのです。

現在ですと、政治的な多様性もありますし政策課題が大変に多いので、国民の声にちゃんと反応してしっかりと反映出来るということも必要とされているんですね。今回のろうそく集会で明らかにされたのですが、韓国の民主化以降に生まれた人たちというのは全国民の65パーセントです。現在、韓国の国民の50代までは、みなさん、民主化を経験しているということになります。

ここから現在の重要な課題は何かを考えますと、もう民主化世代となっておりますので、今までのような独裁を反対しようというような動きではなく、多様な話（意見・望み）をどのように受け入れていくかということが重要な課題となるわけです。ですので、選挙制度を考えますと、ほとんどの政党が時を待たずして、新しい選挙制度への改善が必要だと意識して想定しているわけです。今の与党や第一野党に関しては、利害関係の側面から鑑みると、新しい選挙方法を支持するのだろうとは思うのですが、果たして最後の最後まで「選挙制度を変えること」「新しい選挙制度」を支持するのかどうかはわかりません。

宇都宮

今のお話にありました選挙制度について詳しく知りたいと思われた方は、明日の午前10時から参議院の議員会館、地下の１０３会議室で第一回国際民主制度研究会が開かれますので、この研究会へぜひご参加いただければと思います。こちらでも、李泰鎬さんがお話をされます。お問い合わせは、公正平等な選挙改革に取り組むプロジェクト（トリプロ）までお願いします。スローガンは「選挙が変われば世界が変わる！」ですね。

時間があれば本当は「参与連帯」という組織について詳しくお訊きしたかったのです。このような活動を行っている市民団体がソウル市内に5階建ての自前のビルを持ち、そこには60人の常勤スタッフが活動しています。日本にはそんな組織というのはないんですね。

なのでひとつだけ「参与連帯」について私から質問させてください。みなさん疑問に感じていらっしゃると思いますけれど、参与連帯は国からも地方自治体からもいっさい支援を受けていないなかで財政活動をどうされているのかということだけ、財政面はどうなさっているのか、それだけをお答えください。

李泰鎬

私たち参与連帯の会員人数は約１万５０００人です。

どのようにして独立した運営を行っているかと言いますと、会員の方々に毎月会費を納めてもらうこと、年会費を納めてもらうこと、また、募金をいただくこと、この3つのシステムで独立的な運営を行っているわけです。

現在ですと会員1万5000人が毎月1万ウォン、日本円に換算すると1000円くらいを納めてくれると考えれば、運営金額になるのです。ですが、60人の専属職員たちへ十分な給料を支払うまでにはなかなか足りていないので、なんとか低賃金でもって給料を支払っている現状です。

〈参加者　笑〉

宇都宮

「参与連帯」については、本日、日本語訳の参与連帯組織図や活動内容要約が配られてると思いますので、ぜひご参考にしていただければと思います。

また、関心があればですね、直接参与連帯を訪問して下さい。ソウルまで直ぐですから。

〈参加者　一同笑いとともに「えー!」と声を上げる〉

宇都宮　訪問すれば、参与連帯のスタッフが活動などを詳しく説明してくれると思います。そろそろ時間となりました。

「結局どうやったら現政権を倒せるの？」といったご質問であるとか「じわじわと広がる市民の社会運動に日本では意識ある人々が多いにもかかわらず広がりがない、その差はなんなのでしょうか」というようなご質問が多く寄せられております。

最後に日本の市民運動へのアドバイスや激励のエールを一言いただいて今回の講演会を締めくくりたいと思っております。

李泰鎬　去年２０１６年10月、私は日本に来ていたのですが、その時にも同じような質問を受けました。「韓国も絶望、日本も絶望、両方の国はどうすればいいのか」そういう内容の質問だったんですね。

はっきり申し上げますと、韓国に見習うべきことはまったくありません。ただ、デモについて見習うべきですね。デモの動きは日本でも始まっているんではないかと思っております。日本では福島原子力発電所問題以降、いろんな変化が起きていると私には見受けられるのです。

ですので、この変化を本当に信じていくべきなのかというような「心構え」が大事じゃないかと思います。

〈参加者　一部から拍手と「そうだ！」という声があがる。〉

李泰鎬

私は1年前に同じこの場所で、同じ質問を受け、同じ答えをいたしました。「世の中は変わる、世の中は変革する」と申し上げたいです。私はそうなることを望んでおります。

〈参加者　大拍手〉

宇都宮

李泰鎬さんは、昨日、韓国から日本に着かれたのですね。お疲れのところ、長時間にわたり素晴らしいお話をしていただきました。

もう一度、李泰鎬さんに拍手を！

「カムサハムニダ！」

〈参加者　大拍手〉

宇都宮

日本と韓国の市民運動の今後における相互の学び合い、そして、連帯していく、これが重要だと思っております。

私は、このような交流が東アジアにおける「本当の平和をつくる運動」になると確信しております。みなさんもこれから韓国の市民運動と大いに交流してください。

〈参加者　大拍手〉

宇都宮

ありがとうございます。

「カムサハムニダ！」

本日はこれにて締めくくりたいと思います。

第四章　ろうそく市民革命の源流をたどる

一、3・1独立運動100周年

2019年3月1日は、1919年に日本の朝鮮半島の植民地支配に抵抗して起きた、「3・1独立運動」から100周年にあたる。

ソウル中心部の光化門（クァンファムン）広場で行われた記念式典では文在寅（ムン・ジェイン）大統領が約1万人の市民を前に演説した。

3・1独立運動100周年を記念する歌もつくられ、この歌を「フィギュア女王」の金妍児（キム・ヨナ）と4人組バンド「Guckkasten（グッカステン）」のメインボーカルであるハ・ヒョヌが歌った。

2人が一緒に歌った記念歌の題名は「3456」で、1919年の「3・1独立運動」1960年の「4月革命」1980年の「5・18光州民主化抗争」1987年の「6月民主抗争」など、歴史的事件の数字を取って作られている。

「3・1独立運動」「4月革命」「5・18光州民主化抗争」「6月民主抗争」は、2016年10月から2017年3月にかけての「ろうそく市民革命」の源流ともいえる歴史的運動であった。

ここで、「ろうそく市民革命」につながるこれらの歴史的運動をたどってみたい。

二、3・1独立運動

1．3・1独立運動とは

「3・1独立運動」とは、1919年3月1日、日本の植民地支配下の朝鮮・京城（現在のソウル）における「独立宣言書」の朗読に始まり、朝鮮半島全土に広がった独立運動である。1919年5月末までで、約200万人が参加したといわれている。日本の朝鮮総督府は軍や警察を動員して激しく弾圧し、多数の死傷者が出た。

3・1独立運動の朝鮮人の犠牲者数は、3～5月で死者7509人、負傷者1万5850人、逮捕者4万6306人といわれている。

韓国では、3月1日は「三・一節」として国の祝日に指定されている。

2．背景

1917年にロシア革命が起こり、第一次世界大戦末期の1918年1月8日にはウッドロウ・ウィルソンアメリカ大統領がアメリカ連邦議会における演説の中で「十四カ条の平和原理」を発表したことで、「民族自決」の意識が高まった。

これを受けて、上海に亡命中の朝鮮人は1919年1月18日から開かれた第一次世界大戦後の「パリ講和会議」に代表を派遣し、独立請願書を提出した。東京の朝鮮人留学生も1919年2月8日に神田の朝鮮基督教青年会館で「2・8独立宣言書」を発表した。これらが、3・1独立運動の導火線となった。

3．3・1独立宣言書の発表と運動の広がり

1919年3月1日午後、京城（現ソウル）中心部のパゴダ公園（現タプコル公園）に天道教・キリスト教・仏教の宗教指導者らが集い「独立宣言」を読み上げることを計画したが、実際には仁寺洞の料理店泰和館（テファグァン）に変更され、そこで独立宣言書を朗読し万歳三唱をした。参加者は33人であり、しばしば民族代表33人といわれる。33人はその後警察に連行された。1919年3月3日に予定されていた大韓帝国時代の皇帝高宗（李太王）の葬儀に合わせ行動計画が定められたといわれている。

独立宣言書は、崔南善（チェ・ナムソン）によって起草され、1919年2月27日までに天道教直営の印刷所で2万1000枚を印刷し、その後天道教とキリスト教のネットワークを通じて朝鮮半島の13都市に配布された。発端となった民族代表33人は逮捕されたものの、もともと独立宣言を読み上げるはずであったパコダ公園には数千人の学生が集まり、学生代表が独立宣言書をパコダ公園で朗読し、その後市内をデモ行進した。「独立万歳」を叫ぶデモには、

次々と市民が参加して、数万人規模のデモに膨れあがった。

以後、独立運動は朝鮮半島全体に広がった。運動の形態は、独立宣言書の配布や街頭演説、集会、デモ行進、さらに警察機関等の植民地支配機構に押しかけて投石する、庁舎を破壊する、土地台帳を焼却する等多様であった。

1919年3月から5月にかけて集計すると、デモ回数は1542回、延べ参加人数は205万人に上る。デモの回数、参加人数が多かったのは京畿道や慶尚南道、黄海道、平安北道などの地域であった。地方都市でデモを行う場合、人が集まる「市日」(定期市が立つ日)が選ばれた。

独立運動の広がりに対して、日本の朝鮮総督府は憲兵や警察に加え、軍隊を投入して弾圧を強化した。3・1独立運動の朝鮮人犠牲者は、前述したとおり死者7509名、負傷者1万5849名、逮捕された者4万6303名に上ったといわれている。

4. 影響と意義

3・1独立運動は、独立という目的こそ達成できなかったが、大きな影響と意義をもった運動であった。一部の者だけが決起するのではなく、多くの民衆が参加したことは民族解放運動の画期をなした。

3・1独立運動の影響を受けて、1919年4月11日は、中国上海で「大韓民国臨時政府」

が樹立されている。現在の大韓民国憲法の前文には「我々大韓国民は3・1運動で成立した大韓民国臨時政府の法統と……」と記述されている。

3・1独立運動の4年後の1923年9月1日、日本では関東大震災が発生し、大震災による混乱の中で数千人の朝鮮人が虐殺された。関東大震災における朝鮮人虐殺も3・1独立運動との関係において、とらえる必要がある。

コラム
5
column

3・1独立運動100周年記念式典における文在寅大統領演説

「3・1独立運動100周年記念式典における文在寅大統領の演説」は3・1独立運動の意義をよくとらえている。以下が演説の内容である（青瓦台公式サイト「3・1節100周年記念式の記念演説」より編集部訳）。

尊敬する国民の皆さん、海外同胞の皆さん。

100年前の今日、私たちは一つでした。

3月1日正午、学生たちは韓国独立宣言を配りました。午後2時には、民族代表者が泰和館で独立宣言式を行い、タプコル公園では5千人あまりの人間が、共に独立宣言を読み上げました。

タバコをやめ貯蓄し、金や指輪を差し出し、髪の毛も売って、国債返済運動に参加した労働者や農民、婦女子、兵士、人力車夫、妓生、白丁、小作人、零細商人、学生、僧侶など、普通の人々が3・1独立運動の主役でした。

そうして私たちは、王朝と植民地の民から、共和国の国民となりました。独立と解放のために民主共和国を目指す、偉大な旅が始まったのです。

100年前の今日、南も北もありませんでした。ソウルと平壌、鎮南浦と安州、宣川と義州、元山まで、万歳（マンセー）の歓声が沸き起こり、それは全国各地に野火のように広がりました。

3月1日から2ヵ月間、南北を問わず全国220の市郡のうち、211ヵ所でマンセーデモが行われました。歓声は、5月まで続きました。

当時、朝鮮半島全体の人口の10％に相当する、約202万人がこのデモに参加しました。7500人以上の朝鮮人が殺害され、1万6000人ほどが負傷。逮捕・拘禁された人数は、4万6000人に達しました。

最大の惨劇は、平安南道の孟山で起こりました。3月10日、逮捕・拘禁された教師の釈放を要求した住民54人が、日本人憲兵によって、憲兵分遣所で虐殺されたのです。

京畿道華城の堤岩里でも、住民らを教会に閉じ込めて火をつけ、子どもを含む29人を虐殺するなどの蛮行が続きました。

対照的に、朝鮮人による攻撃で死亡した日本人の民間人は一人もいませんでした。

北間島龍井と沿海州のウラジオストク、ハワイとフィラデルフィアでも、私たちは一つでした。民族の一員として、誰もがデモを組織し、参加しました。

私たちは共に独立を熱望し、国民主権を夢見ました。

3・1独立運動の歓声を胸に刻みこんだ人々は、自分のような普通の人間が独立運動の主体であり、国の主人であるということを認識し始めました。そのことが、より多くの人々を運動に参加させ、毎日のようにマンセーを叫ぶ力となったのです。

その最初の成果が、大韓民国臨時政府です。大韓民国臨時政府は、臨時政府憲章1条において、3・1独立運動の志を込めて「民主共和制」を定めました。これは、世界の歴史において、憲法に民主共和国を明示した最初の事例となりました。


尊敬する国民の皆さん。

親日残滓の清算は、あまりに長い間先送りにしてきた課題です。

誤った過去を反省して初めて、私たちは共に、未来に向かって進むことができます。正しい歴史を編み直してこそ、子孫たちは堂々と生きていけるのです。民族の正しい精神の確立は、国家の責任であり、義務です。

もちろん、今さら過去の傷に触れて分裂を引き起こす、あるいは隣国との外交に溝を作ろうというわけではありません。いずれも望ましくないことです。

親日残滓の清算、外交ともに、未来志向的に行われなければなりません。

「親日残滓の清算」とは、親日※は反省すべきことであり、独立運動については敬意を払うべきであるという原点を、しっかりと認識し直すことを意味します。

※植民地時代における反民族的精神のこと。

この単純な真実こそが「親日残滓の清算」の定義であり、この定義を正面から捉えることが、公正な国の始まりです。

かつて、日本は独立軍を「匪賊」、独立運動家を「思想犯」として弾圧しました。「アカ」という言葉も生まれました。「思想犯」も「アカ」も、共産主義者のみに使われたわけではありません。これは、民族主義者からアナーキストまで、すべての独立運動家への烙印でした。左右を敵対させ、思想に烙印を押すことは、民族間の分裂を狙って使用された手段でした。こうした背景が、解放後も親日清算を阻んできました。

こうした手段は、良民の虐殺やスパイ操作、学生の民主化運動に対しても、国民を分裂するために使われました。解放後のわが国においても、警察出身者の日本人が、独立運動家を「共産主義者」として拷問しました。

多くの人が「アカ」として犠牲になり、家族や遺族は、その烙印を背負って不幸な人生を生きねばなりませんでした。

現在の韓国社会でも、政治的立場の異なる勢力を誹謗中傷する際に「アカ」という言葉が使われています。かつての「色差別」が形を変えて、いまだに猛威をふるっているのです。

これは、私たちが一日も早く清算しなければならない、代表的な親日残滓です。

私たちの心に引かれた38度線は、私たちを分裂させた理念の対立が消えるとき、一緒に消えるはずです。互いへの憎悪を捨てるとき、私たちの心は真に解放されるでしょう。

新しい100年は、その時ようやく始まるのです。


尊敬する国民の皆さん。

私たちは今日までの100年間、公正で公平な国、そして人類すべての平和と自由を夢見る国を目指して歩みを進めてきました。

そして、植民地支配と戦争、貧困と独裁を克服し、奇跡のような経済成長を成し遂げました。4・19革命と釜馬民主抗争、5・18民主化運動、6・10民主抗争、そしてろうそく革命を通じて、普通の人間が、それぞれの力と方法で、私たちの民主共和国を作ってきました。3・1独立運動の精神は、何度危機に陥ろうとも蘇ってきたのです。

新しい100年は、真の国民国家を完成するための100年です。過去の出来事に振り回されず、新しい考え方と気持ちで団結する100年です。

私たちは、朝鮮半島の平和という、勇気ある挑戦を始めました。変化を恐れず、新しい道を歩み始めました。新しい100年は、この挑戦が成功へと続く100年です。

2017年7月に、ベルリンで「朝鮮半島平和構想」を発表したときは、平和はあまりにも遠く、実現は不可能かに思えました。

しかし、私たちは機会を待ち、それを獲得しました。平昌の寒さに、ようやく平和の春が訪れたのです。昨年、金正恩（キム・ジョンウン）委員長と板門店で初めてお会いした際、8千万人の同胞の心は一つになり、世界中に、朝鮮半島に平和の時代が開かれたことが明らかにされました。

9月には、綾羅島競技場で15万人の平壌市民の前に立ち、大韓民国の大統領として、朝鮮半島の完全な非核化と平和、繁栄を約束しました。

朝鮮半島の空と陸地、海から銃声が消えました。非武装地帯では、13体の遺体と共に、和解の心も掘り起こしました。

南北の鉄道と道路、民族の血脈は繋がっています。西海5島の漁場が広がり、漁民にとっての長年の夢も大きく膨らみました。

虹のように幻であった構想が、私たちの目の前で一つひとつ実現しています。

非武装地帯は、もうすぐ国民のものになります。世界でもっとも保存された自然が、私たちにも大きな恵みを与えてくれることでしょう。私たちはそこに平和公園を作ることも、国際平和機構を誘致することもできるのです。エコツーリズムも、巡礼道の散策もできます。自然を保護しながら、南北の国民の幸福のための共同利用ができるようになるのです。

これは、私たち国民の、自由で安全な北朝鮮旅行への道です。離散した家族や故郷を失った人々が単に再会を果たすだけではなく、実際に故郷を訪れ、家族や友人に会えるようになります。朝鮮半島の恒久的な平和は、数多の困難を乗り越えれば、必ず訪れるはずです。

ベトナム・ハノイで行われた第2回北米首脳会談は、長時間にわたる対話を経て、相互理解と信頼を深められただけでも、意味ある前進でした。特に、両首脳間の議論を経て、連絡機関の設置が決定したことは、両国の関係正常化にとって、重要な成果でした。トランプ大統領が見せた継続的な対話の意志と、前向きな見通しを高く評価します。

この会談は、今後より適切な合意を得ていくための過程です。

そして、私たちの役割は、一層重要になりました。韓国政府は、アメリカ、北朝鮮と緊密にやり取りを重ね、両国の対話の完全な実現に努力するつもりです。

私たちが感じている朝鮮半島の平和の春は、他人に押し付けられたものではありません。私たち自身、つまり国民の力で作り出したものです。統一はそう遠くありません。違いを認め、心を一つに、互恵的な関係を作ることができれば、それこそが統一です。

今から始まる新しい100年は、これまでの100年とは質的に異なる100年となるでしょう。

この「新朝鮮半島体制」は、大胆な転換と共に、統一を目指していきます。「新朝鮮半島体制」は、私たちが主導する100年の秩序です。それぞれの国民と共に、南北が合同で、新たな平和協力の秩序を生み出します。

「新朝鮮半島体制」は、対立と葛藤を越えた、新しい平和協力共同体です。私たちの固い意志と緊密な韓米共助、北米対話の合意と国際社会の支持によって、恒久的な平和体制の構築を必ず成し遂げるつもりです。

「新朝鮮半島体制」は、理念による分裂と勢力争いの時代を越えた、新しい経済協力共同体です。朝鮮半島で「平和の経済」の時代を切り開きます。金剛山観光と開城工業団地の再開案についても、米国との協議を約束します。

南北は昨年、軍事的敵対行為の終息を宣言し、「軍事合同委員会」の運営に合意しました。非核化が前進すれば、南北間には「経済共同委員会」も作られて、双方が利益を享受する経済的成果を生み出すことができるでしょう。

また、南北関係の発展は、北米関係および日朝関係の正常化にも繋がり、東北アジア地域の新たな平和安保の秩序に繋がっていくでしょう。

3・1独立運動の精神と団結を元に、「新朝鮮半島体制」を成し遂げていきます。どうか国民の皆さんの力をお貸しください。

朝鮮半島の平和は、南北を越え、東北アジアとアセアン、ひいてはユーラシアを包括する新しい経済成長の動力になるでしょう。

100年前、植民地支配されていた、あるいはその危機に瀕していたアジアの民族と国々は、私たちの3・1独立運動を積極的に支持してくれました。

当時、北京大学教授として新文化運動を率いた陳独秀は、「朝鮮の独立運動は、偉大で悲壮であると同時に、間違いなく、武力ではなく民意でもって世界革命史に新しい時代を刻んだ」と語りました。

アジアは、世界でもっとも早く文明が栄えたところであり、様々な文明が共存する場所です。朝鮮半島の平和で、アジアの繁栄に貢献したいと思います。そして、共生を目指すというアジアの価値にならって、世界の平和と繁栄の秩序を作っていきます。

朝鮮半島の縦断鉄道が完成すれば、昨年の光復節の際に提案した「東アジア鉄道共同体」の実現に一歩近づきます。これは、エネルギー共同体に発展し、米国を含む多国間の平和安保体制を堅固なものにすることでしょう。

ASEAN諸国と共に、「2019年韓―ASEAN特別首脳会議」と「第1回韓―メコン首脳会議」の開催を通じて、「人間中心の平和と繁栄の共同体」を作っていきます。

朝鮮半島の平和のために、日本との協力も強化していきます。

「3・1独立宣言書」は、3・1独立運動が排他的感情に基づくものではないこと、そして、私たちが全人類の共存共生を目指し、東洋と世界の平和への道を歩むことを宣言しました。そして、「勇気をもってこれまでの誤りを正し、真の理解と共感に基づいた良好な関係を作っていくことが、災いを避け、幸せになる近道」であることを明らかにしました。今日に繋がる、私たちの精神です。

過去は変えることができません。しかし、未来は変えられます。歴史と向き合い、韓国と日本が固く手を取り合えば、平和の時代が私たちにそっと寄り添ってくれます。力を合わせて、被害者の苦痛を実質的に癒すことができれば、韓国と日本は心を通わせた真の友人になれるはずです。

尊敬する国民の皆さん、海外同胞の皆さん。

私たちは、私たちが共に大韓民国を作り上げてきた今日までの100年間のように、新しい100年を生きなければなりません。

すべての国民が平等で公正な機会を持ち、差別されることなく、仕事の中に幸福を見つけなければなりません。

よりよく生きるために、私たちは、「革新的包容国家」という新たな挑戦を始めました。

今日、私たちが目指す「革新的包容国家」は、100年前の今日、私たちの先祖が夢見た国の姿でもあります。

世界は今、二極化と経済的不平等、差別と排除、国間の格差と気候変動という、全地球的問題解決のための、新たな道を模索しています。私たちは、この「革新的包容国家」の実現で、課題解決に挑戦したいと思います。

私たちは変化を恐れず、むしろ積極的に利用する国民です。

私たちは、もっとも平和的で文化的な方法で、世界の民主主義の歴史に美しい花を咲かせました。1997年のアジア通貨危機、2008年のグローバル金融危機の克服も、すべて国民の力によるものでした。私たちの新たな100年は、平和が包容力となり、包容力が豊かな国を作り出していくようになるでしょう。

私たちが作りあげる「革新的包容国家」が、世界のモデルとなり、その変化を先導していくことを確信します。3・1独立運動の力は、今後も未来への推進力となるでしょう。

柳寛順烈士の功績審査をあらためて行った結果、彼女の独立有功者としての勲格を上げ、本日新たに建国勲章一等級「大韓民国章」を授与することになりました。これは、3・1独立運動が、現在も進行形であることを意味します。

アウネ市場の万歳運動を主導した柳寛順烈士は、西大門刑務所に収監された後も死を恐れず、3・1独立運動一周年の万歳運動を行いました。しかし彼女の何よりも大きな功績は、「柳寛順」という名において、3・1独立運動を人々の心に刻みこんだことです。

過去100年の歴史は、どれほど困難な現実に直面しようとも、希望を放棄しなければ変革を起こすことができると証明しました。

今後の100年は、何よりも国民の成長が、国の成長へと繋がっていくはずです。

理念の対立を乗り越えて統合を成し遂げ、平和と繁栄を実現するとき、真の独立が達成されることでしょう。

ありがとうございました。

コラム 6 column
3・1独立宣言

3・1独立運動は知られていても、「3・1独立宣言書」を読んだことのある日本人は少ないのではないだろうか。『週刊金曜日』の2019年2月22日号に外村大東京大学大学院総合文化研究科教授による「3・1独立宣言書」の現代語訳が掲載されていたので、『週刊金曜日』と外村大教授の了承を得て「3・1独立宣言」の現代語訳を転載したい。

宣言書
わたしたちは、わたしたちの国である朝鮮国が独立国であること、また朝鮮人が自由な民で

『週刊金曜日』の「3・1朝鮮独立運動」の特集号（2019年2月22日号）

あることを宣言する。このことを世界の人びとに伝え、人類が平等であるということの大切さを明らかにし、後々までこのことを教え、民族が自分たちで自分たちのことを決めていくという当たり前の権利を持ち続けようとする。５０００年の歴史を持つ私たちは、このことを宣言し、２０００万人の一人ひとりがこころを一つにして、これから永遠に続いていくであろう、わたしたち民族の自由な発展のために、そのことを訴える。そのことは、いま、世界の人びとが、正しいと考えていることに向けて世の中を変えようとしている動きのなかで、いっしょにそれを進めるための訴えでもある。

このことは、天の命令であり、時代の動きにしたがうものである。また、すべての人類がともに生きていく権利のための活動でもある。たとえ神であっても、これをやめさせることはできない。わたしたち朝鮮人は、もう遅れた思想となっていたはずの侵略主義や強権主義の犠牲となって、初めて異民族の支配を受けることとなった。自由が認められない苦しみを味わい、10年が過ぎた。支配者たちはわたしたちの生きる権利をさまざまな形で奪った。そのことは、わたしたちのこころを苦しめ、文化や芸術の発展をたいへん妨げた。民族として誇りに思い大切にしていたこと、栄えある輝きを徹底して破壊し、痛めつけた。そのようななかで、わたしたちは世界の文化に貢献することもできないようになってしまった。

これまで押さえつけられて表に出せなかったこの思いを世界の人びとに知らせ、現在の苦しみから脱して、これからの危険や恐れを取り除くためには、押しつぶされて消えてしまった、民族として大切にして来た心と、国家としての正しいあり方を再びふるい起こし、一人ひとりがそれぞれ人間として正しく成長していかなければならない。次世代を担う若者に、いまの状況をそのままとしていくことはできないのであり、わたしたちの子どもや孫たちが幸せに暮らせるようにするためには、まず、民族の独立をしっかりとしたものにしなければならない。2000万人が固い決意を相手と闘う道具とし、人類がみな正しいと考え大切にしていること、そして時代を進めようとするこころをもって正義の軍隊とし、人道を武器として、身を守り、進んでいけば、強大な権力に負けることはないし、どんな難しい目標であってもなしとげられないわけはない。

日本は、朝鮮との開国の条約を丙子年・1876年に結び、その後も様々な条約を結んだが、〔朝鮮を自主独立の国にするという約束は守られず〕そこに書かれた約束を破ってきた。しかし、そのことをわたしたちは、いま非難しようとは思わない。

日本の学者たちは学校の授業で、政治家は会議や交渉の際に、わたしたちが先祖代々受け継ぎ行ってきた仕事や生活を遅れた者とみなして、わたしたちのことを、文化を持たない民族のように扱おうとしている。彼ら日本人は征服者の位置にいることを楽しみ喜んでいる。わたしたちは、わたしたちが作り上げてきた社会の基礎と、引き継いできた民族の大切な歴史や文化の財産とを、彼ら日本人が馬鹿にして見下しているからといって、そのことを責めようとはしない。わたしたちは、自分たち自身をはげまし、立派にしていこうとしていて、そのことを急いでいるので、ほかの人のことをあれこれ恨む暇はない。いまこの時を大切にして急いでいるわたしたちは、かつての過ちをあれこれ問題にして批判する暇はない。いま、わたしたちが行わなければならないのは、よりよい自分を作り上げていくことだけである。他人を怖がらせたり、攻撃したりするのではなしに、自ら信じるところにしたがって、わたしたちは自分たち自身の新しい運命を切り開こうとするのである。決して、昔の恨みや、一時的な感情で、他の人のことをねたんだり、追い出そうとしたりするわけではない。古い考え方を持つ古い人びとが力を握って、そのもとで手柄を立てようとした日本の政治家たちのために、犠牲となってしまった、現在の不自然で道理にかなっていないあり方をもとにもどして、自然で合理的な政治のあり方にしようとするということである。

もともと、日本と韓国との併合は、民族が望むものとして行われたわけではない。その結果、威圧的で、差別・不平等な政治が行われている。支配者はいいかげんなごまかしの統計数字を持ち出して自分たちが行う支配が立派であるかのようにいっている。しかしそれらのことは、二つの民族の間に深い溝を作ってしまい、互いに反発を強めて、仲良く付き合うことができないようにしている、というのが現在の状況である。きっぱりと、これまでの間違った政治をやめ、正しい理解と心の触れあいに基づいた、新しい友好の関係を作り出していくことが、わたしたちと彼らとの不幸な関係をなくし、幸せをつかむ近道であるということを、はっきりと認めなければならない。

また、怒りと不満をもっている、２０００万人の人びとを、力でおどして押さえつけることでは、東アジアの永遠の平和は保障されないし、それどころか、東アジアを安定させる際に中心になるはずの中国人の間で、日本人への恐れや疑いをますます強めるであろう。その結果、東アジアの国々は共倒れとなり、滅亡してしまうという悲しい運命をたどることになろう。いま、わが朝鮮を独立させることは、朝鮮人が当然、得られるはずの繁栄を得るというだけではなく、そうしてはならないはずの政治を行い、道義を見失った日本を正しい道に戻して、東アジアをささえるための役割を果たさせようとするものであり、同時に、そのことで中国が感じている不安や恐怖をなくさせようとするためのものでもある。つまり、朝鮮の独立はつまらない感情の問題として求めているわけではないのである。

ああ、いま目の前には、新たな世界が開かれようとしている。武力をもって人びとを押さえつける時代はもう終わりである。過去の全ての歴史のなかで、磨かれ、大切に育てられてきた人間を大切にする精神は、まさに新しい文明の希望の光として、人類の歴史を照らすことになる。新しい春が世界にめぐってきたのであり、すべてのものがよみがえるのである。酷く寒いなかで、息もせずに土の中に閉じこもるという時期もあるが、再び暖かな春風が、お互いをつなげていく時期がくることもある。いま、世の中は再び、そうした時代を開きつつある。そのような世界の変化の動きに合わせて進んでいこうとしているわたしたちは、そうであるからこそ、ためらうことなく自由のための権利を守り、生きる楽しみを受け入れよう。そして、われわれがすでにもっている、知恵や工夫の力を発揮して、広い世界にわたしたちの優れた民族的な個性を花開かせよう。

わたしたちはここに奮い立つ。良心はわれわれとともにあり、真理はわれわれとともに進んでいる。老人も若者も男も女も、暗い気持ちを捨てて、この世の中に生きているすべてのものとともに、喜びを再びよみがえらせよう。先祖たちの魂はわたしたちのことを密かに助けてくれているし、全世界の動きはわたしたちを外側で守っている。実行することはもうすでに成功なのである。わたしたちは、ただひたすら前に見える光に向かって、進むだけでよいのである。

公約三章

一、今日われわれのこの挙は、正義、人道、生存、身分が保障され、栄えていくための民族的要求、すなわち自由の精神を発揮するものであって、決して排他的感情にそれてはならない。

一、最後の一人まで、最後の一刻まで、民族の正当なる意志をこころよく主張せよ。

一、一切の行動はもっとも秩序を尊重し、われわれの主張と態度をしてあくまで公明正大にせよ。

朝鮮建国四千二百五十二年三月一日

朝鮮民族代表

孫秉熙　吉善宙　李弼柱　白龍城　金完圭
金秉祚　金昌俊　權東鎮　權秉悳　羅龍煥
羅仁協　梁甸伯　梁漢默　劉如大　李甲成
李明龍　李昇薫　李鍾勳　李鍾一　林礼煥
朴準承　朴熙道　朴東完　申洪植　申錫九
吳世昌　吳華英　鄭春洙　崔聖模　崔麟
韓龍雲　洪秉箕　洪基兆

コラム 7 column

朝鮮のジャンヌ・ダルク柳寛順

タプコル公園内にある柳寛順（ユ・グアンスン）のレリーフの前で（2019 年 9 月 6 日）

柳寛順（ユ・グアンスン）（１９０２年11月17日～１９２０年10月12日）は、当時16歳で、京城（ソウル）にあった梨花学堂（現在の梨花女子高等学校）の生徒であった。１９１９年、３・１独立運動が勃発すると、日本の朝鮮総督府から各学校に対して休校命令が下されたため、故郷の天安に帰り、教会関係者などを通じて万歳デモを計画した。４月１日、柳寛順は並川という町の市場に集まった群集に独立運動のアジ演説を行い、デモ行進移った。しかし、日本の憲兵隊は群集に発砲し、集会に参加していた柳寛順の両親は殺害された。柳寛順は逮捕され、裁判にかけられ、西大門刑務所に入れられ、１９２０年10月12日獄死した。最後まで朝鮮独立の意志を捨てず、大規模な獄中デモを主導し、抵抗を続けたといわれている。

3・1独立運動100周年を記念する文在寅大統領の演説の中でも、柳寛順のことについて触れられている。柳寛順は3・1独立運動のシンボル的存在になっており、「朝鮮のジャンヌ・ダルク」と呼ばれている。

3・1独立運動の発祥の地であるソウルのタプコル公園には、柳寛順を先頭にデモする民衆が描かれたレリーフがある。

コラム 8 column

タプコル公園

ソウル市鐘路（チョンノ）区にある公園で、別名パコダ公園とも呼ばれている。1919年の3・1独立運動の発祥地で、ここで独立宣言書朗読会が行われた。

公園内には、3・1独立宣言書が刻まれた記念塔や独立運動家の銅像、3・1独立運動の様子を伝えるレリーフなどが多数飾られている。

タプコル公園内にある３・１独立宣言書が刻まれた記念塔の前で（2019年９月６日）

タプコル公園内にある３・１独立運動の様子を伝えるレリーフ

三、4月革命

1．4月革命とは

4月革命とは、1960年3月に行われた大統領選挙における大規模な不正選挙に反発した学生や市民による民衆デモにより当時韓国大統領であった李承晩（イ・スンマン）が退陣に追い込まれた事件のことである。

もっとも大規模なデモが発生した日が4月19日であったことから「4・19革命」（サイルグヒョンミョン）、「4・19」（サイルグ）とも呼ばれている。

また、革命後1年足らずで朴正熙（パク・チョンヒ）少将らによる軍事クーデター（5・16軍事クーデター）が発生して、自由が抑圧された軍事独裁政権時代に突入したため「未完の革命」とも呼ばれている。

2．1960年の大統領選挙

すでに12年も政権の座にあった自由党の李承晩大統領は、李大統領側近の李起鵬（イ・ギブン）を副大統領候補にして齢80歳を超えてなお3度目の大統領選に立候補した。投票日は19

60年3月15日だった。大統領選挙で民主党は趙炳玉（チョ・ピョンオク）を大統領候補にたて、張勉（チャン・ミョン）を引き続き副大統領候補としていた。ところが趙炳玉が病気治療で訪れていたアメリカで急逝し、選挙の争点は副大統領をめぐる張勉と李起鵬の一騎打ちとなった。

4年前の副大統領選では李起鵬は張勉に負けていた。

3. 革命の兆候

革命の最初の兆候が現れたのは大邱（テグ）だった。

1960年2月28日、張勉は、趙炳玉の急死によって中断していた選挙遊説の再開の地を大邱に定めた。大邱は、韓国有数の政治都市で、野党の有力な支持基盤となっていた。ところが、この日は日曜であるにもかかわらず、市内の中高の生徒たちに登校の指示が出された。真の目的は生徒たちを張勉候補の演説会に行かせないことだった。これに怒った高校生たちが学園の政治的利用や弾圧に抗議し、街頭デモに及んだ。

慶北高校、大邱高校、慶北大学教育学部附属高校、慶北女子高校、大邱女子高校、大邱工業高校、大邱農業高校、大邱商業高校に通う市内のほぼすべての高校生が、教師の制止を振り切って学校外へ飛び出していった。高校生は口々に独裁と不正選挙を糾弾する喊声をあげながら大邱市内の中心街をデモした。これは「2・28学生義挙」と呼ばれている。

韓国は、1950年以来、日本と同じ六・三・三・四の学制が基本的に確立していたが、戦乱を含む混乱期で高校生といっても20歳をすぎた成人も少なからず含まれていた。儒教社会の根強い教育観もあって、解放後、中等教育進学者が急増した。1945年で7819人（19校）だった高校生の数は、1960年で27万3000人（640校）に増え、まだまだ富裕層の子弟に限られていた大学に比べ大衆化がすすんでいた。高校生たちは、植民地期以来の学生特有の純粋な正義感に加え、1人当たりGNP80ドルに象徴される一般市民の生活苦や政権への不満を共有していた。

大邱のデモは全国に波及した。3月5日はソウル、8日は大田（忠清南道）、10日には清州（忠清北道）、水原（京畿道）など全国の主要都市で高校生たちが学園の政治利用に反対して街頭に進出した。

4・3・15不正選挙

政府与党は、官僚機構や御用組織・暴力団まで動員し全力を尽くした不正選挙を行い、李承晩大統領側近の李起鵬（イ・ギブン）を副大統領に当選させた。

金品で有権者を買収するのは当たりまえで、政治ゴロを動員して野党の選挙運動を妨害し、3人、5人といったグループで投票に行かせて誰に票を投じるか念押しさせた。野党側の立会人を締め出した上で公開投票を強いた。李起鵬と記入された投票用紙を大量に持ち込んで投票箱に入れた。これらの過程に内務省職員や警察官が関与していた。あまりに熱心に不正に取り組んだため李起鵬の投票率は１００％に迫り、李起鵬の得票数が有権者より多くなった投票所がいくつも現れた。内務相崔仁圭（チェ・インギュ）は緊急指示を出して李起鵬の得票率を79％に「調整」した。

これに対し、野党民主党は、投票締め切りの30分前に、本選挙は不正選挙で無効であると宣言した。

3月15日の大統領選挙投票日当日、慶尚南道馬山（マサン）で、民主党側の選挙立会人が強制的に投票所から追い出されたことをきっかけに、学生と市民が大統領選の無効を主張して街頭デモを行った。

これに対し警察はデモ参加者に無差別発砲してデモ鎮圧を図ったため、8人が死亡し、50人余が負傷してデモは鎮圧された（第一次馬山事件。韓国では「馬山義挙」とも呼ばれている）。しかし、このデモに参加して行方不明となっていた馬山商業高校生の金朱烈（キム・ジョヨル）が、27日後の4月11日馬山沖の海上で目に催涙弾が突き刺さった遺体となって発見されたことをきっかけに馬山市民の怒りが爆発し、学生や市民が再び街頭デモを再開し反政府機運が高まった（第二次馬山事件）。馬山事件は全国の学生たちの反李承晩政権の感情を一層強めることになった。後に「馬山事件３・15義挙」は国家記念日に制定されることになる。

5. 4月18日高麗大デモ

第二次馬山事件をきっかけに各地の学生によるデモが発生し、4月18日には首都ソウル市においても高麗大学の学生約3500人が馬山事件で逮捕された学生の釈放と学園の自由を求めて市内をデモ行進した。その後デモ隊は国会議事堂前で座り込みをした後、午後の時頃には大学に戻り始めていた。そして、デモ隊が鐘路（チョンノ）4街付近に差しかかった時、景武台の警護責任者である郭永周から指令を受けた政治ゴロである李丁載や林和秀などの息のかかった暴徒100人あまりがデモ隊に襲いかかり、1人が死亡、50人あまりの学生が負傷する事態となった。学生デモに対する暴徒の襲撃は学生や市民の強い反発を招く結果となり、4月革命の直接的な契機となった。

6. 4月19日学生デモ

4月18日の高麗大学学生デモが行われた翌4月19日、ソウル大学をはじめ、延世大学、中央大学などソウル市内の大学生数万人が決起しデモ行進を行った。そして、同日正午には、大統領官邸である景武台を包囲し、一部のデモ隊は副大統領候補で李承晩大統領の側近である李起鵬の自宅を占拠した。デモには中学高校生や一部市民も参加し、午後2時半頃までにはデモ隊の規模は20万人あまりに膨れ上がり、李承晩大統領の退陣と不正選挙無効のスローガンを叫んだ。

デモ隊に対し警察は、景武台や中央府付近で無差別発砲を行い多数の死傷者が出た。これに激高した一部のデモ隊は市内各所の警察官派出所、与党系の新聞であるソウル新聞社屋、反共会館を焼き討ちした。

デモはソウルのみならず全国各地に波及し、釜山や光州、大邱、済州、仁川など、各地方都市でも数千人あまりの学生デモ隊が警察官隊と衝突した。

全国各地で発生したデモによる犠牲者数はソウルで100人を超え、全国では死者183人、負傷者6259人に上った。これに対し李承晩政権は、4月19日午後5時を期してソウル・釜山・大邱・光州の各都市に戒厳令を布告したが、軍は政治的中立を維持し、デモ隊鎮圧のための積極的行動は行わなかった。

7．4月25日教授団デモ

4・19デモの翌々日の4月21日、国務委員（閣僚）と自由党党務委員が4・19デモの責任を取る形で一括して辞表を提出した。4月23日には副大統領候補者であった李起鵬が当選辞退を考慮する旨を表明し、張勉副大統領も辞任を表明した。

こうした状況下で4月25日、ソウル大学に全国27大学の教授400人余が集結し、大統領と国会議員、最高裁判事の辞任、正副大統領再選挙の実施、不正選挙の処断を求める時局宣言文を採択後、「4・19義挙で倒れた学生の血に報いよ」という横断幕を掲げてデモ行進を行った。

この教授団のデモは混乱なく平和的に行われたが、これに刺激された学生たちによる反政府デモが再び活発化することになった。

8. 李承晩大統領の辞任

教授団デモの翌日の4月26日、学生と市民は「再選挙の実施」「現政権の退陣」などのスローガンを叫びながらデモ行進を開始し、その規模は数万名に膨れ上がった。パコダ公園に建てられた李承晩大統領の銅像がデモ隊によって引きずり倒された。

こうした事態に金貞烈（キム・ジョンニョル）国防部長官や許政（ホ・ジョン）外相が李承晩大統領に対して辞任を説得、4月26日に宋尭讃（ソン・ヨチャン）戒厳司令官（陸軍参謀総長）の仲介によって実現した李大統領とデモ隊代表による会談の場において、李大統領は下野することを表明した。

国会では午後緊急本会議を開き李大統領の下野を要求する決議案を満場一致で可決した。翌4月27日に李大統領は公報室を通じて辞任を正式に発表し、国会に辞表を提出し、受理された。大統領辞任後、李大統領夫妻は5月29日にハワイに亡命した。李起鵬は、4月28日に一家心中した。また、不正選挙に関与した閣僚9人、自由党幹部13人が逮捕された。デモ隊に向けて発砲を命じた崔仁圭（チェ・インギュ）内務長官、郭永周（カク・ヨンジュ）大統領警護室長や暴力団幹部らは死刑となった。

4月革命の後、4月24日に李大統領によって外相に任命された許政を首相とする暫定政府が4月28日に発足し、6月19日に議院内閣制を採用した第二共和国憲法が成立した。

コラム 9 column

「4・19革命」の意義

「4・19革命」は、革命後1年足らずで朴正熙（パク・チョンヒ）少将らによる軍事クーデターが発生して軍事独裁政権時代に突入したため「未完の革命」といわれているが、韓国の歴史ではじめて民衆が決起して権力者を追放し、政権を交代させたという偉大な闘いであった。4・19革命を経験することで韓国国民は自由と民主主義の価値を身をもって知ったのである。

『ボクの韓国現代史１９５９－２０１４』（ユ・シミン著、三一書房）に掲載されている、「ソウル大学文理学部学生会4・19宣言文」と「漢城（ハンソン）女子中学校2年生陳英淑（チン・ヨンスク）の遺した手紙」は、闘いに立ち上がった当時の学生の気持ちがよく表れていると思われるので、ここで紹介する。

〈ソウル大学文理学部学生会4・19宣言文〉

見よ！　我われは喜びに満ちて自由のたいまつを掲げる。見よ！　我われは漆黒の闇夜の沈黙に自由の兼ねを打ち鳴らす打ち手の一翼たることを誇る。日帝撤退のもと狂おしいばかりに自由を歓呼した我が父、我が兄とともに。良心に恥じることはない。孤独でもない。永遠なる民主主義を死守せし者たちは栄光に満ちている。見よ！　現実の裏路地で意気地なく自虐をかみしめる者まで我われの隊列に伍している。進まん！　自由の秘密はひとえに勇気のみである。

〈漢城女子中学校2年生陳英淑の遺した手紙〉

時間がないのでお母さんに会うこともかなわぬまま、私は行きます。お母さん、デモに出ていく私のことを責めないでください。私たちでなければ誰がデモをするのでしょう。自分はまだ世間知らずだってことくらいわかっています。けれど祖国と民族のための道とはどんなものか知っています。私も命を捧げて闘うつもりです。デモのさなかに死のうとも思い残すことはありません。お母さん、私を愛する気持ちから悲嘆にくれることでしょうが、民族の未来と解放のために喜んでください。どうか健康におすごしください。繰り返しになりますが、この命、すでに捧げようと決心したのです。

四．光州5・18民主化運動

1．光州5・18民主化運動とは

光州5・18民主化運動とは、1980年5月18日から5月27日にかけて、韓国の全羅南道の道庁所在地であった光州市（現光州広域市）を中心として起きた民衆の蜂起事件である。韓国では、「光州民衆抗争」「光州民主化運動」などと呼ばれているが、日本では「光州事件」と呼ばれている。

5月17日の全斗煥（チョン・ドファン）らのクーデターと金大中らの逮捕を契機に、5月18日にクーデターに抗議する学生デモが起きたが、戒厳軍の学生たちに対する暴行に怒った市民もデモに参加した。デモ参加者は約20万人に膨れ上がり、木浦をはじめ全羅南道一帯に広がり、市民軍は全羅南道庁を占領したが、5月27日に戒厳軍によって鎮圧された。

光州5・18民主化運動は、当初は「北朝鮮の扇動による運動」とされ、デモに参加した学生や市民は「暴徒」とされたが、粘り強い真相究明運動の結果、金泳三（キム・ヨンサム）が大統領就任（1993年）後に光州事件を「5・18民主化運動」と規定する談話を発表し、各種記念事業を実施すると宣言し、1997年には「5月18日」が国家記念日となった。

光州5・18民主化運動は、２００７年7月に日本で公開された韓国映画『光州5・18』（韓国でのタイトルは『華麗なる休暇』）、２０１８年4月に日本で公開された韓国映画『タクシー運転手〜約束は海を越えて〜』などで映画化されている。

また、光州5・18民主化運動は、２０１８年6月12日に放送されたＮＨＫＢＳ放送の番組「アナザーストーリーズ運命の分岐点『その時、市民は軍と闘った〜韓国の夜明け光州事件』」でも取り扱われている。

2. 光州民主化運動の背景

１９７９年10月26日、18年間にわたり独裁権力を維持してきた朴正熙（パク・チョンヒ）大統領が、側近の金載圭（キム・ジェギュ）中央情報部長によって暗殺された。

朴大統領暗殺後、「ソウルの春」と呼ばれた民主化ムードが続く中、軍部では維新体制の転換を目指す鄭昇和（チョン・スンファ）陸軍参謀総長らの上層部と朴正熙によって引き立てられた全斗煥（チョン・ドファン）保安司令官などの中堅幹部勢力の「ハナフェ（ハナ会・一心会）」との対立が表面化した。

１９７９年12月12日、保安司令官全斗煥陸軍少将が戒厳司令官の鄭昇和陸軍参謀総長を逮捕し、軍の実験を掌握した（粛軍クーデター）。

粛軍クーデター後も全国各地で反軍部民主化要求のデモが続いていたが、全斗煥が率いる新

光州事件の中心地となった全羅南道旧道庁前広場

「五月の母の家」の前で（2019 年 5 月 17 日）

軍部は、1980年5月17日、全国に戒厳令を布告し、野党指導者の金泳三（キム・ヨンサム）、金大中（キム・デジュン）や旧軍部を代弁する金鐘泌（キム・ジョンピル）を逮捕・軟禁した（5・17非常戒厳令拡大措置）。

金大中は全羅南道出身で光州では人気があり、金大中の逮捕が光州民衆抗争の大きな原因となっている。

3. 光州民衆抗争

1980年5月18日、光州市で大学を封鎖した陸軍空挺部隊とこれに抗議する学生が自然発生的に衝突した。軍部隊の鎮圧活動は次第にエスカレートし、翌19日にはデモの主体は学生から激昂した市民に変わっていた。市民はバスやタクシーを倒してバリケードを築き、角材や鉄パイプ、火炎瓶などで応戦した。5月21日に群集に対する空挺部隊の一斉射撃が始まると、市民は郷土予備軍の武器庫を奪取して武装しこれに対抗した。戒厳軍は一時市外に後退して、道路・通信を遮断して光州市を封鎖、包囲した。

韓国政府は抵抗する光州市民を「スパイに扇動された暴徒」と非難し、韓国のメディアは「光州で暴動が起きている」と報じた。海外メディアは、ニューヨークタイムスのヘンリー・スコット・ストークス東京支局長を始めとして、「金大中は処刑されるべきではない」との社説を掲げ「民主化運動の闘士」であるとの後押しを行った。また、ドイツ公共放送（ARD）

東京在任特派員であったドイツ人記者ユルゲン・ヒンツペーターが光州で何が起こっているか報道した。

光州市内では市民による自治が始まっていた。5月22日朝、市民たちは錦南路に出て廃墟のように散乱した街の片付けと清掃にとりかかった。抗争の指導部は、道庁を拠点に放置された遺体を収拾し、身元を確認する作業を始めた。封鎖のために日用品不足が懸念されたため、買い占め売り惜しみを防ぐ手立てがとられた。握り飯、パン、牛乳、ドリンク剤などが主婦や店主たちによって市民軍に提供された。市民軍と学生たちは治安維持のために破壊行為を防ぎ重要施設の警備をうけもった。

その他車両統制班、医療班、銃器回収班など自治のための機能が満遍なくととのえられた。道庁前の噴水台では連日のように民主守護汎市民決起大会」が開かれ、5月23日には、5万人の市民が集結した。道庁前広場は、光州市民の共同体的な討議と集会の象徴的広場となった。

地元の有力者などで構成された市民収拾対策委員会は戒厳軍側と交渉するも、妥結に至らなかった。

市民たちは武器を手に入れると戒厳軍を相手に銃撃戦を行い全羅南道庁を占領した。市民軍の指導部は闘争派と協商派に分かれて分裂した。5月26日市民軍は記者会見でアメリカが介入すれば流血事態は阻止できると主張するとともに、同志は死ぬ準備ができていると発表した。

5月26日に開かれた第5次民主守護汎市民決起大会では最後まで闘うことが決議され、10人の女性を含む250人あまりが道庁に立てこもり、錦南路のYMCAビルにも30人あまりが立てこもった。翌朝、未明から散発的に銃撃戦があった後、午前4時、降伏の呼びかけがあった。市民軍が道庁を照らすサーチライトを銃撃したのをきっかけに空挺部隊の一斉射撃が始まり、上空からは武装ヘリが空挺部隊を援護した。空挺部隊は投降して道庁前広場に出た市民軍8人をも容赦なく射殺した。交戦は1時間ほどで終わり、5時10分道庁は戒厳軍に占拠された。YMCAのビルにも空挺部隊が投入され、2人が死亡、29人が拘束された。

この日の作戦に投入された兵力は6172人、市の外郭での行動を含めると2万5000人に上った。2001年までに韓国政府が確認した光州抗争での犠牲者（死者）の数は、民間人168人、軍人23人、警察官4人、負傷者4782人、行方不明者は466人に上っている。光州に投入された戒厳軍の作戦名は、光州事件を描いた韓国映画のタイトルにもなった「華麗なる休暇」であった。

戒厳司令部は光州民衆抗争に関連して2500人を超える市民や大学生を逮捕し、600人以上を送検した。鄭東年（チョン・ドンニョン）、ペ・ヨンジュ、パク・ナムソは軍法会議および最高裁の最終審で死刑を言い渡された。洪南淳（ホン・ナムスン）、鄭祥容（チョン・サンヨン）、ホ・ギュジョン、ユン・ソンヌら7人は無期懲役、金相允（キム・サンユン）、キム・ソンヨン、明魯勤（ミョン・ノグル）、全玉珠（チョン・オッチュ）、尹江鈺（ユン・ガンオク）ら11人は懲役20年から10年、152人が懲役10年から5年の刑を言い渡された。だが2年もしないうちに全員釈放された。

1980年9月17日軍法会議で金大中に内乱予備罪・陰謀罪・反共法違反・国家一級保安法違反などを理由として死刑判決が下された。事件当時「北朝鮮の扇動による暴動」とされたが、粘り強い真相究明を求める運動の結果、1997年に「5月18日」は国の記念日となり、2001年には事件関係者を民主化有功者とする法律が制定された。

光州民主化運動は、韓国における民主化の運動の分岐点となるとともに、1987年6月の「6月民主抗争」の原動力となった。

4．光州民衆抗争が韓国社会に与えた影響

韓国軍の作戦統制権を持っていた在韓米軍のジョン・A・ウィッカム司令官が韓国軍部隊の光州投入を承認し、アメリカ政府も秩序維持を理由にこれを黙認したためアメリカへの批判が起こり、韓国人の対米観が大きく見直されることになった。

盧泰愚（ノ・テウ）大統領（在任1988年〜1993年）の時代には、光州抗争当時の鎮圧司令官たちを追及する聴聞会が開かれ、1990年8月6日には「光州民主化運動関係者補償等に関する法律」が制定され、犠牲者・負傷者に対する補償金が支給された。

金泳三（キム・ヨンサム）大統領（在任1993年〜1998年）は就任後に、光州事件を

「5・18民主化運動」と規定するとの談話を発表し、各種記念事業の実施を宣言した。

1995年には「5・18民主化運動等に関する特別法」及び「憲政秩序破壊犯罪の時効等に関する特別法」が可決され、光州事件及び軍事反乱などに対する公訴時効を停止した。1997年4月、韓国大法院はこの特別法を根拠として、全斗煥元大統領と盧泰愚前大統領に実刑判決及び追徴金を宣告した（同年12月金大中大統領の特別赦免により釈放）。

金泳三、金大中、盧武鉉（ノ・ムヒョン）と続いた文民政権で、光州は民主化運動の国家的聖地となった。現在、光州市内には、5・18記念墓地、5・18記念公園など光州民主化運動を記念する多数の施設や記念碑等が市内の各地に存在している。

コラム 10 column

第37周年5・18民主化運動記念式典における文在寅大統領演説

ろうそく市民革命の後2017年5月9日に行われた大統領選で当選した文在寅新大統領による2017年の5・18記念式典における演説である。（2017年5月19日「ハフポスト日本版」掲載、「文在寅大統領「現代史の悲劇だった」民主化運動を弾圧した光州事件から37年（声明全文）」より）

国立「5・18 民主墓地」の前で行われた 2019 年「5・18 記念式典」。文在寅大統領が演説をしている（2019 年 5 月 18 日）

尊敬する国民の皆様。

今日5・18民主化運動37周年を迎え、5・18墓地に立って、非常に感慨深いです。37年前、あの日の光州は、私たちの現代史で一番悲しくて痛ましい場面でした。

私は80年5月の光州市民をまず思い浮かべます。誰かの家族であり、隣人でした。平凡な市民であり、学生でした。彼らは人権と自由を抑圧されない、平凡な日常を守るために命をかけました。私は大韓民国の大統領として、光州の英霊の前で深く感謝申し上げます。5月の光州が残した痛みや傷を秘めたまま、今日を生きていらっしゃる遺族と負傷者の皆様にも深い慰労の言葉を申し上げます。

１９８０年5月の光州は今なお生きている現実です。いまだに解決されていない歴史です。大韓民国の民主主義は、この悲劇の歴史を踏みしめて立ち上がりました。光州の犠牲があったからこそ、私たちの民主主義は持ちこたえて、再び立ち上がることができました。私は5月の光州の精神でもって、民主主義を守ってくださった光州市民と全南道民の皆様に格別の尊敬の言葉を差し上げます。

尊敬する国民のみなさん。

5・18は不義の国家権力が国民の生命と人権を蹂躙した私たちの現代史の悲劇でした。しかし、これに対抗した市民の抗争が民主主義の道しるべを立てました。真実は長い間隠蔽され、歪曲され、弾圧されました。しかし、厳しい独裁の暗やみの中でも、国民は、光州のともしびをたどって一歩ずつ進みました。光州の真実を伝えることが民主化運動となりました。

釜山で弁護士として活動した私も違いませんでした。私自身も5・18の時に拘束されましたが、私が経験した苦痛は大したことではありませんでした。光州の真実は私にとって無視できない怒りで、痛みをともに分かち合うことができなかったという、あまりにも大きな負い目でした。その負い目が民主化運動に乗り出す勇気をくれました。それが私を今日この席に立たせるまで成長させてくれた力になりました。

5月の光州はとうとう、昨冬に全国を灯した偉大なろうそく革命として復活しました。不義に妥協しない怒りと正義が、そこにありました。国の主人は国民であることを確認する喊声が、そこにありました。国を国らしくしようという激しい情熱とひとつになった心が、そこにありました。

私はこの場であえて申し上げます。新たに発足した文在寅政府は、光州民主化運動の延長線上に立っています。1987年6月抗争と金大中政権、盧武鉉政権の流れを継いでいます。

私はこの場で誓います。新政府は5・18民主化運動とろうそく革命の精神を重んじ、この地の民主主義を完全に復元するでしょう。光州の英霊が安らかに眠れるよう、成熟した民主主義の花を咲かせます。

私たちの社会の一角では依然として、5月の光州を歪曲して毀損しようとする試みがあります。容認できないことです。歴史を歪曲して民主主義を否定することです。私たちは多くの人々の犠牲と献身で成し遂げられたこの地の民主主義の歴史に自負心を持たなければなりません。

新政府は5・18民主化運動の真相を究明するのに、大きな更なる努力をします。ヘリコプター射撃まで含めて、発砲の真相と責任を必ず突き止めます。5・18関連資料の廃棄や歴史歪曲を防ぎます。全南道庁の復元問題は、光州市と協議して協力します。

完全な真相究明は進歩と保守の問題では決してありません。常識と正義の問題です。私たち国民みなが共に培わなければならない民主主義の価値を保存することです。

5・18精神を、憲法前文に盛り込むという私の公約も必ず守ります。光州の精神を憲法に継承する真の民主共和国の時代を切り拓きます。5・18民主化運動はやっと全ての国民が記憶して学ぶ、誇らしい歴史として位置付けられます。5・18精神を憲法前文に盛り込み、改憲を完了できるようにこの場を借りて国会の協力と国民の皆様の同意を丁寧にお願い申し上げます。

尊敬する国民の皆さん。

「あなたのための行進曲」は単なる歌ではありません。5月の血と魂が凝縮された象徴です。5・18民主化運動の精神、そのものです。「あなたのための行進曲」を歌うのは犠牲者の名誉を守り、民主主義の歴史を記憶しようということです。今日「あなたのための行進曲」の斉唱はこれまで傷ついた光州の精神をもう一度蘇らせることになるでしょう。今日の斉唱でもって不要な論争が終わることを望みます。

尊敬する国民のみなさん。

2年前、珍島・彭木港に5・18の母が4・16の母に送った横断幕がありました。「あなたの無念がよく分かる。頑張ってください。倒れないでください」という内容でした。国民の生命を踏みにじった国家と国民の生命を守れない国家を痛烈に叱る叫びでした。二度とこのような無念さが繰り返されないようにします。国民の生命と人の尊厳を天のように尊重します。私はそれが国家の存在価値だと信じます。

私は今日、5月の死と光州の痛みを自身のこととして世に知らせようとした多くの人々の犠牲と献身を共にたたえたいです。

1982年光州刑務所で光州真相究明のため、40日間の断食ののち、獄死した29歳、全南大学の学生のパク・ガンヒョン。

1987年、「光州事態責任者処罰」を叫びながら、焼身自殺した25歳、労働者のピョ・チョンドゥ。

1988年、「光州虐殺真相究明」を叫び、明洞聖堂教育館4階から投身自殺した24歳、ソウル大学の学生のチョ・ソンマン。

1988年、「光州は生きている」と叫び、崇実大学の学生会館の屋上で焼身自殺した25歳、崇実大学の学生のパク・レジョン。

多くの若者が5月の英霊の魂を慰め、身を投じました。責任者処罰と真相究明を促すため、命をかけました。国家が責任を放棄している時、すべからく明かして記憶すべきことのために自身を捧げました。真実を明かそうとしていた多くのジャーナリストや知識人も強制解雇されて投獄されました。

私は5月の英霊らと共に、彼らの犠牲や献身を無駄にすることなく、これ以上、悲痛な死と苦難がない大韓民国へと進みます。真実が嘘に勝つ大韓民国へと進みます。

光州市民にもお願い申し上げます。光州の精神で犠牲となり、生涯を生きてきた全国の5・18をともに記憶してください。もう差別と排除、銃刀の傷跡が残した痛みを踏まえて、光州が正義の国民統合の先頭に立ってください。光州の痛みが痛みにとどまらず国民みんなの傷と葛藤を抱く時、光州が差し出した手はもっとも丈夫で、強い希望になるでしょう。

尊敬する国民の皆さん。

5月の光州の市民らが分かち合った「おにぎりと献血」こそ私たちの自尊心の歴史です。民主主義の本当の姿です。命が去来する極限状態でも、節制力を失わず、民主主義を守り抜いた光州の精神はそのままろうそく広場で復活しました。ろうそくは5・18民主化運動の精神の上で国民主権時代を開きました。国民が大韓民国の主人であることを宣言しました。文在寅政府は国民の意思を尊重する政府となることを光州の英霊の前で宣言します。

互いが互いのために、互いの痛みをいたわる大韓民国が、新しい大韓民国です。常識と正義の前に手を差し出す人たちが多くなるほど、崇高な5・18精神は現実の中で生きる価値として完成することでしょう。

もう一度、謹んで5・18英霊らの冥福を祈ります。

ありがとうございます。

（文大統領の演説の中で触れている「1988年、「光州は生きている」と叫び、崇実大学の学生会館の屋上で焼身自殺をした25歳、崇実大学の学生パク・レジョン」とは、第一章で紹介したセウォル号事件の遺族と市民団体で構成された「4・16国民結束連帯」の共同代表で人権財団「ひと」の所長であるパク・レグンさんの弟である。）

コラム 11 column

「あなたのための行進曲」

「あなたのための行進曲」（イムル・ウィハン・ヘンジンゴグ）は光州民主化運動の中で生まれた闘争歌である、毎年光州市で行われている「5・18記念式典」ではもちろんのこと、ろうそく市民集会や労働組合のメーデーの集会など韓国全土で歌われている歌である。

光州事件の犠牲者で市民軍のリーダーであった尹祥源（ユン・サンウォン）と1978年に不慮の事故で亡くなった労働活動家朴琪順（パク・ギスン）の追悼（霊魂結婚式）のために1981年に作られた韓国の民衆歌謡である。1980年代から1990年代にかけて闘争歌として韓国全土に普及した。1997年以降は5・18記念式典の象徴歌として歌われている。

尹祥源（ユン・サンウォン）は、5・18民主化運動において市民軍を統制する抗争指導部のスポークスマンを務め、抗争の最終日、5月27日早朝の全羅南道庁舎での攻防戦で戒厳軍の銃弾に倒れた人であり、「5月のために生まれた人物」とも呼ばれている。

尹祥源は1950年8月19日、全羅南道光山郡（現在の光州広域市光山区）の林谷面生まれ。光州広域市（当時は全羅南道光州市）内の北星中学校とサレミオ高等学校を卒業して、1971年に全南大政治外交学科に入学した。その在学中、労働問題に強い関心を抱くようになる。折しも入学前年1970年11月、ソウル・平和市場の一労働者だった全泰壹（チョン・テイル）（１９４８〜１９７０）が労働環境改善を訴え焼身自殺する事件が発生し、韓国社会での労働問題に対する関心が高まりつつあった。

尹祥源は全南大学卒業後は銀行に就職し、ソウル・奉天洞（ポンチョンドン）の店舗に勤務するが、労働問題への思いは強く、わずか半年で銀行を退職し光州に戻る。

光州では光州洞（クァンチョンドン）の低所得者向け団地「光州市民アパート」に居を構え、身分を偽って近隣の光州工業団地の期間工として勤務する。これは労働環境の実態を調査するために労働者となり潜入する偽装労働者活動のためであった。尹祥源はこの潜入活動を通じて光州工業団地の全企業の労働環境を調査し、その劣悪さを告発した『光州工団労働実態調査報告書』をまとめ上げ、労働環境改善を求めて公的機関への提出を試みるが、顧みられることはなかった。

こうした労働運動の中で、尹祥源は光州市民アパートに隣接する教会「光州洞聖堂」を拠点とする「野火（トゥルブル）夜学」の創立者の一人である朴琪順（パク・ギスン）（１９５８〜１９７８）、同じ光州市民アパートに暮らし住民の生活環境向上のために奔走していた金泳哲（キム・ヨンチョル）（１９４８〜１９９８）らと出会い合流する。そして自らも講師となり浅い学歴のまま労働者とならざるを得なかった若者たちへの教育、労働問題や民主化への啓蒙を行った。

しかし、それからまもなく悲劇が発生する。１９７８年12月26日朴琪順が突如この世を去ることになる。当時の韓国で暖を取る手段として一般的だった練炭によるガス中毒死であった。朴琪順は野火（トゥルブル）夜学の創立を主導し、光州で女性初の偽装労働者となるなど、労働者の権利向上に尽力した、わずか20年の短すぎる生涯であった。

深い悲しみに暮れる中、尹祥源は朴琪順の遺志を継ぎ野火夜学の発展に一層注力した。

1980年5月18日光州市内の大学キャンパスに進駐した戒厳軍の兵士が無抵抗の学生や市民たちに組織的暴力を振るい始めると、まもなく尹祥源たちは全南道庁からほど近い、民主運動家たちの集いと議論の場であった古書店「緑豆書店」（ノクトゥソジョム）（「緑豆」とは1894年の東学農民戦争で東学軍を率いて処刑された全琫準（チョン・ボンジュン）将軍の愛称）を状況室とし、全国の学生運動家、民主化運動家たちと連絡を取り合うが、やがて電話回線も切断されてしまう。

軍事政権の統制下にあった放送局は戒厳軍の蛮行を一貫して市民の暴動だと歪曲、また新聞も戒厳軍の光州封鎖により市内への搬入が停止しつつあった中、尹祥源たちは市民の情報源となるべく、戒厳軍の動向や市民集会などの予定を記した広報紙の発行を決定。

5月19日には手書きかつ手作業のガリ版刷りによるビラ『光州市民民主闘争会報』を、続いて5月21日にはほぼ同じ体裁の『闘士会報』を制作し光州市内に配布。この『闘士会報』は10号まで制作され、うち戒厳軍に押収された第10号を除く全9号がそれぞれ数千〜数万部ほど市内に配布され、実質的に途絶えたメディアに代わって光州市民の目と耳となった。

5月27日午前4時、戒厳軍が全南道庁を包囲、最終抗戦が始まった。他の市民軍のメンバーと同様に銃を取り戦った尹祥源は午前5時過ぎ、立てこもっていた道庁民願室2階で戒厳軍の銃弾を腹部に受け、まもなく絶命し、29歳の短い人生を終えた。

1997年、尹祥源をはじめ5・18の犠牲者が埋葬されていた望月洞の市民墓地の隣に「国立5・18民主墓地」が造成された。この国立墓地には犠牲者165名の墓と行方不明者77名記念碑がある。

5・18民主化運動、尹祥源の死から1年半を経た1982年2月20日、有志たちによって尹祥源と朴琪順の「霊魂結婚式」が挙行され、尹祥源と朴琪順は夫婦となった。

「霊魂結婚式」とは一方または双方が亡くなった独身の男女の結婚式のことであり、その後は通常の結婚と同じく、その家族（遺族）は親戚関係として縁を結ぶことになる。韓国では一般的に行われているとのことである。

「あなたのための行進曲」は、尹祥源と朴琪順の「霊魂結婚式」に捧げるために有志たちにより作られた歌である。

この歌は現在、5・18民主化運動を、そして光州精神を象徴する歌として位置づけられている。

「あなたのための行進曲」（イムル・ウィハン・ヘンジンゴグ）の日本語訳は概ね次のとおりである。

愛も名誉も名も残さずに
一生を捧げようと誓い合った
同志はいまはなく旗のみがなびく
新しい日が来るまで心揺らぐまい
歳月は流れても山河は知っている
目覚めて叫ぶ熱い喊声
先に立って進むから生き残った者よ後に続け
先に立って進むから生き残った者よ後に続け

コラム
12
column

全泰壹（チョン・テイル）

韓国でもっとも有名な労働運動活動家、尹祥源の活動にも大きな影響を与えたと思われる。

全泰壹は大邱の貧しい家庭の長男として生まれ、家族でソウルに上京した後、17歳でソウル市東大門市場にある平和市場の縫製工場で働き始めた際、そこで働いている女性労働者の多くが劣悪な環境で働かされている現状を知った。そして、長時間過密労働と低賃金で働かされたあげくに、肺炎を患ったことを理由に解雇された幼い女性工員を助けようとしたことを理由にして、彼自身が解雇されたことをきっかけに労働運動に目覚め、活動するようになった。裁断工として仕事をする傍ら、独学で労働基準法を学び、同僚と共に勉強会を組織した上で、工場における労働実態や労働環境について調査し、それに基づいて労働庁に陳情したり、雇用者と協議を重ねたが、一向に改善の兆しが見られなかった。1970年11月、このような状況に抗議するための集会を計画し、実行に移そうとした矢先、警察と事業主に強制解散させられそうになったため、労働基準法の冊子を抱えたまま「われわれは機械ではない！　日曜日は休みにしろ！　労働基準法を守れ！　私の死を無駄にするな！」と叫び全身にガソリンをかぶって焼身自殺を図った。焼身直後、すぐに病院に搬送されたが、その日の夜に22歳で死去した。

平和市場の近くにある全泰壹（チョン・テイル）の銅像（2019年9月6日）

　全泰壹は労働庁長官宛てに書いた陳情書で、

平和市場の実態を次のように要約している。

「平和市場の労働者は2万人、ひとつの工場に平均30人が働いている。労働者90％以上が平均18歳の女性である。労働者の40％を占めるシタ（裁断補助職）は平均15歳の少年少女だ。彼らは100ウォンにも満たない日当で1日16時間も働かされている。休日は1カ月に2日のみ。平均経験年数は6年で、平均年齢20歳の女性熟練労働者は狭く薄暗い工場で働いているために目を傷め、神経痛や胃腸炎、肺炎に苦しんでいる。労働基準法に基づく健康診断はフィルムなしで撮影したふりをする見せかけのレントゲン検査が関の山である。」

全泰壹は朴正煕大統領に宛てた嘆願書で、大統領のことをこの国の父と呼び、父親に恨みごとを言う前にどこが苦しいのか知らせるのが子としての務めだと書いた。全泰壹の請願した内容は、1日の作業時間を10～12時間に短縮し、毎週日曜日を休日にし、健康診断をきちんと受けさせ、シタ（裁断補助職）の給料を50％引き上げてほしいというものだった。全泰壱はそれを「人間としての最低限の要求」だと語った。だが政府も使用者側も無情にもその要求を顧みることなく踏みにじった。全泰壹はもうほかに道はないと考えて焼身を決意した。

全泰壹は自分自身のためではなく若い女性労働者の労働条件を改善するために焼身を図った。彼は平和市場の労働者としては給与水準のもっとも高い裁断士だった。他の有能な裁断士はカネを貯め独立して洋裁店を開くことを夢見て働き、実際にその夢をかなえた者も多かった。

他人の命と健康と福祉のためにみずからの命を投げうつのは、人間としてなしうるもっとも高潔な行為である。全泰壹を焼身へと取り立てたものは何らかのイデオロギーではなく、弱く幼き隣人への憐れみだった。

彼の残した日記を見ると、全泰壹自身も弱く不完全な存在だったことがわかる。弱く不完全な22歳の青年労働者が、より弱くより幼い女性労働者のためにとった命を捨てて顧みない行動が、多くの人々の魂に響いた。全泰壹は、韓国社会が貧困と抑圧、搾取と人権蹂躙に苦しむ無数の労働者を生み出しているという事実を劇的に暴いてみせ、韓国社会がどこに向かいつつあり、どこに向かうべきなのかを教えてくれた。

労働者焼身の一報を耳にした大学生は平和市場へと駆けつけた。反独裁・民主化闘争に明け暮れていた大学生や知識人は、労働者の悲惨な現実に大きな衝撃を受けた。70年代以降の労働運動、すなわち労働者と学生の連帯、若き知識人の労働現場への進出、労働運動の政治への進出、民主労総の誕生といった一連のできごとは、すべて全泰壹の焼身から始まった。数多くの大学生が夜学をつくって労働者に寄り添った。大学を終えた若者には、技術を学んで資格を取り工場に就職する者も現れた。

全泰壹の焼身自殺をきっかけに、労働者の悲惨な実態が報道されるようになり、朴正熙政権下で停滞を余儀なくされていた労働運動が活発になった。また、学生や知識人の目を労働問題に向けさせ、１９７０年代～１９８０年代の民主化運動における労働者と学生および知識人の連帯を生み出すことにも貢献した。以後、問題意識を持つ多くの大学生たちが経歴を偽って工場に入って仕事をしつつ、労働運動を組織する「意識化」作業を展開し、労働運動の発展に貢献するようになった。

現在でも、民主労総などは全泰壹を「烈士」と呼び、彼の行いを「全泰壹精神」として、労働運動家の象徴としている。全泰壹の母李小仙（イ・ソソン）も全泰壹の遺志を継いで労働運動にかかわるようになり「韓国労働運動の母」と呼ばれているということである。

韓国の弁護士趙栄来（チョ・ヨンネ）（１９４７年〜90年）は、全泰壹の母親李小仙と何度も会い、聞き取りをして全泰壹の詳伝をまとめたが、朴正煕（パク・チョンヒ）軍事独裁政権下の韓国では出版できず、日本の「たいまつ社」から『炎よ、わたしをつつめ』というタイトルで１９７８年11月に出版されている。このときは著者名も偽名を使っている。

全泰壹が焼身自殺してから35年後の２００５年、清渓川復元事業に伴い清渓6〜7街を「全泰壹通り」と命名し、彼の彫像と銅板が敷かれた橋が建設された。そして、同年9月30日に全泰壹の母親で労働運動家の李小仙も参加して彫像の除幕式が行われた。２０１９年３月20日には、平和市場近くに「全泰壹記念館」が開館した。全泰壹記念館にはソウル市も出資している。

五．6月民主抗争

1．6月民主抗争とは

6月民主抗争は、1987年6月10日から「6・29宣言」が発表されるまでの約20日間にわたって繰り広げられた、大統領の直接選挙制改憲を中心とした民主化を要求するデモを中心とした韓国における民主化運動のことである。

この民主抗争の結果、大統領直接選挙制改憲実現などの一連の民主化措置を約束する「6・29宣言」を全斗煥軍事独裁政権から引き出すことに成功した。

2018年9月には、6月民主抗争を描いた韓国映画『1987、ある闘いの真実』が日本で公開されている。

2．背景

1987年に入ると大統領の直接選挙制を実現するための憲法改正を求める声が日増しに強くなったが、全斗煥政権は、これを拒否する姿勢を崩さず、4月13日に「今年度中の憲法改正論議の中止」と「現行憲法に基づく次期大統領の選出と政権移譲」を趣旨とする、いわゆる

「4・13護憲措置」を発表し、現憲法に規定された選挙人団選挙による間接選挙で次期大統領を選出することを明らかにした。

「4・13護憲措置」に対し在野勢力や野党は一斉に反発、折しも1月15日にソウル大学生の朴鍾哲（パク・ジョンチョル）が警察による拷問で死亡した事件とそれに係わる隠蔽工作の発覚で政権の道徳性に対する批判が高まっていただけに民主化の気運が更に盛り上がった。

3.「国民運動本部」の結成

5月27日に野党を含む広範な反政府勢力を結束した「民主憲法争取国民運動本部」が結成された。国民運動本部は「4・13護憲措置撤廃、大統領の直接選挙制改憲」を最大要求に掲げることで国民の支持を広げた。

国民運動本部が結成される一週間ほど前の5月18日、天主教正義具現全国司祭団の金勝勲（キム・スンフン）神父が朴鍾哲拷問致死事件についてさらなる真相を明らかにしたことで、政権に対する国民の不信に火をつける結果となった。

国民運動本部は「朴鍾哲拷問殺害の捏造・隠蔽糾弾と護憲撤廃国民大会」を6月10日に開催した。政府側は6万人あまりの武装警察官を動員して開城を封鎖、国民運動本部の幹部を自宅軟禁にするなどして妨害したが、全国18都市でデモが発生、ソウル市中心部では警察に追われたデモ隊が明洞聖堂に籠城し、大学生やサラリーマンによる支援デモが聖堂の外で繰り広げられた。

6・10デモの前日6月9日には延世大学生の李韓烈（イ・ハンニョル）が戦闘警察が放った催涙弾の直撃を受けて重体となる事件が発生（7月5日に死亡）し、催涙弾の乱射に対する抗議デモが全国各都市に拡大した。

国民運動本部は6月18日を「催涙弾追放の日」として大々的に運動を展開した結果、全国14都市で24万人がデモに参加した。ソウル市では戦闘警察の一部が武装解除され、釜山でも中心部の幹線道路が約4キロあまりにわたりデモ隊に占拠された。翌6月19日には全国79大学でデモが発生、6月20日夜には光州で20万人以上がデモに参加するなど、デモは全国各都市に拡大した。

国民運動本部は6月20日に、①4・13護憲措置の撤廃②6・10大会拘束者と良心囚（政治・思想犯）の釈放③集会・デモ・言論の自由保障④催涙弾使用の中止、などを求める声明を発表した。

さらに国民運動本部は、6月26日、「平和大行進」を敢行。官憲による実力阻止が行われたにもかかわらず全国33都市と4郡で少なく見積もっても20万人以上がデモに参加した。

4．「6・29宣言」

6月26日デモで事態の深刻さを痛感した政権与党は、盧泰愚（ノ・テウ）民正党代表最高委員による時局収集宣言、いわゆる「6・29宣言」を発表した。大統領の直接選挙改憲を行うこと、金大中の赦免・復権などの民主化措置を実行することを表明するに至った。そして、翌6月30日に盧泰愚代表が全斗煥大統領に申し入れを行い、9月1日に大統領がこれを受け入れたことで大統領直接選挙制を軸とする民主化が実現することになった。

6・29宣言を受けて政府は、7月9日に金大中民主化推進協議会共同議長を含む政治犯らの赦免・復権を発表。そして与野党は憲法改正作業に着手し、大統領直接選挙制導入を軸とする改憲案は10月12日に国会を通過し、同月27日に行われた国民投票で9割以上の賛成を得て確定した。10月29日に第六共和国憲法が公布された。

5.「6月民主抗争」勝利の要因

6月民主抗争では、それまで学生や在野の知識人が主体となったデモにサラリーマンや商店主など各界各層の一般市民が多数参加しており、民主化要求が幅広い国民から支持されていることを示すものとなった。

また、全斗煥政権も翌年にソウルオリンピックを控え強硬措置をとることが困難になっていた上、政権の後ろ盾となっていたアメリカもレーガン大統領が親書を送って戒厳令布告に反対すると共に民主化を促進するよう促したことも大きな影響を与えた。

コラム 13 column

李韓烈（イ・ハンニョル）

李韓烈（イ・ハンニョル、1966年8月29日～1987年7月5日）は、韓国の学生運動家。全羅南道和順郡出身。1986年、延世大学経営学部入学。

1987年1月14日に起きたソウル大生朴鍾哲（パク・ジョンチョル）の拷問致死事件に抗議し、1987年6月9日、拷問殺人隠蔽糾弾及び護憲撤廃国民大会で、学外闘争に出た。しかし、戦闘警察が発射した催涙弾SY−44破片を後頭部に受け、1カ月間死線をさまよった後、7月5日、20歳の若さで生涯を終えた。

「李韓烈記念館」に展示されている写真

李韓烈の死亡を受け、7月9日故李韓烈烈士民主国民葬が行われた。延世大学本館前を出発した葬儀隊は、新村ロータリーからソウル特別市市庁前を経由し、光州望月洞にある光州事件犠牲者墓地まで行進した。

参加者はソウルで約100万人、光州で約50万人、韓国全土で約160万人に及んだ。倒れた李韓烈を同じ延世大学の学生であるイ・ジョンチョルが助ける写真は、韓国学生運動の象徴となっ

「李韓烈記念館」にて（2019年9月6日）

ている。

２００４年６月李韓烈記念館が完工、２００５年６月９日開館した（ソウル市麻浦区にある）。

２０１８年６月12日に放送されたＮＨＫＢＳ放送アナザーストーリー『その時、市民は軍と闘った〜韓国の夜明け光州事件』という番組では、インタビューを受ける李韓烈さんの母が出てくる。

〈参考文献〉

1『新・韓国現代史』（文京洙著・岩波新書）
2『ボクの韓国現代史1959-2014』（ユ・シミン著、萩原恵美訳、三一書房）
3『ソウルの市民民主主義』（白石孝編著・コモンズ）
4『5・18民主化運動』（光州広域市5・18民主化運動記録館）
5『韓国市民運動家のまなざし――日本社会の希望を求めて』（朴元淳著、特定非営利活動法人参加型システム研究所・石坂浩一編訳、風土社）
6『不屈のハンギョレ新聞～韓国市民が支えた言論民主化20年』（ハンギョレ新聞社著、現代人文社）
7『炎よ、わたしをつつめ――ある韓国青年労働者の生と死』（全英琪（著者趙英来の偽名）著、李浩培訳、たいまつ社）
8『運命　文在寅自伝』（文在寅著、矢野百合子訳、岩波書店）
9『韓国スタディツアー報告書――チカラのある市民があたらしい政治をつくる！』（宇都宮けんじ・希望のまち東京をつくる会andうつけんゼミ）

おわりに

2019年12月5日から7日にかけて、韓国の江原道（カンウォンド）の道庁所在地春川（チュンチョン）市で開催された「東北アジア平和共存のための韓日平和フォーラム〜日韓の友好関係は市民の力で〜」に参加してきた。春川市は韓国ドラマ『冬のソナタ』のロケ地として有名な所である。

この「韓日平和フォーラム」は、江原道庁と春川市庁が共催し、翰林（ハルリム）聖心大学東アジア平和研究所が中心となって開催されたものである。韓日平和フォーラムは過去3回（2015年、16年、17年）開かれてきており、今回は4回目となる。

開会式では、翰林聖心大学東アジア平和研究所の所長尹載善（ユン・ジェソン）教授が、「韓国と日本は永遠に引っ越しすることができない、近い国です。今後も両国の市民の継続的な協力によって、韓国と日本の平和を成し、ひいては世界の平和を成し遂げることを切に願います」と挨拶した。

日本側は「日韓市民交流をすすめる『希望連帯』」の白石孝代表が、「この春川で、DMZ（非武装地帯）を平和の象徴、世界遺産に、そして日本国憲法9条を永遠に守護しようと、両国市民が心を一つにして声を上げる意味は大きい」と挨拶をした。

開会式の最後に「過去の戦争の歴史から学び、その産物である非武装地帯DMZと憲法9条を守る活動を進めていく」という「東北アジア平和共存のための韓日平和フォーラム宣言書」への署名が日韓の代表者らによって行われた。

開会式の後、金亭錫（キム・ヒョンソク）延世大学名誉教授による「21世紀、韓日関係とその課題」と題する基調講演と秋葉忠利元広島市長による「アメリカ大統領・北東アジア・自然災害――『ヒロシマ』と『都市』の視点から」と題する基調講演が行われた。

続いて、李洙勲（イ・スフン）前駐日大使、小森陽一東大名誉教授・九条の会事務局長、糸数慶子前参院議員らが平和共存談話を発表した後、八つの分野で分科会が開かれた。

私は最後の「総合討論」のコーナーで「貧困・格差・差別のない北東アジアを～北東アジアにおける『積極的平和』の創出に向けて～」と題して話をさせていただいた。

日韓関係が最悪の状態にある中で、日本から約140人、韓国から約160人、合わせて約300人の市民が参加した韓日平和フォーラムは、日韓市民間の交流と親睦が深まる大変有意義な集まりであったと思う。

日韓関係は、2018年10月30日の元徴用工問題に関する韓国大法院判決の後、日本政府が報復的な輸出規制措置を行った結果、韓国政府も対抗措置として輸出規制措置をとるとともにGSOMIA（日韓軍事情報包括協定）の破棄を発表した。その後、韓国政府はGSOMIAの破棄に関しては「条件付き延期」を発表したが、元徴用工問題や輸出規制問題は未解決のまま、2020年を迎えている。

政府間、国家間の関係が悪化している時こそ、重要となるのが、市民間の交流、民間レベルの交流ではないかと思う。

とりわけ、日韓の市民運動レベルの交流が活発になることは、日韓の友好、北東アジアの平和的環境をつくる上で重要であると思う。

本書が韓国の市民運動に関心のある多くの人によって読まれ、日韓の市民間の交流の活発化、日韓の友好に少しでも寄与することができれば幸いである。

2020年1月

宇都宮健児

宇都宮健児（うつのみや・けんじ）
1946年愛媛県生まれ
1969年東京大学法学部中退、司法修習所入所
1971年弁護士登録、東京弁護士会所属

弁護士として、クレジット・サラ金問題に早くから取り組み、多重債務に苦しむ多くの人を助けてきた。また、反貧困ネットワーク代表世話人として、貧困問題の解決に向けた運動にも取り組んでいる。

＜これまでの略歴＞
日弁連消費者問題対策委員会委員長、日弁連上限金利引き下げ実現本部本部長代行、日弁連多重債務対策本部本部長代行、東京弁護士会副会長、豊田商事破産事件破産管財人常置代理人、地下鉄サリン事件被害対策弁護団団長、ティーピーシー事件・ＫＫＣ事件・オレンジ共済事件・和牛預託商法事件・八葉物流事件などの被害対策弁護団団長、年越し派遣村名誉村長、日本弁護士連合会会長（2010年度、2011年度）などを歴任。2012年12月と2014年2月の東京都知事選に出馬。

＜現在＞
全国クレサラ・生活再建問題対策協議会副代表幹事、全国ヤミ金融・悪質金融対策会議代表幹事、オウム真理教犯罪被害者支援機構理事長、全国消費者行政ウォッチねっと代表幹事、反貧困ネットワーク代表世話人、のりこえねっと（ヘイトスピーチとレイシズムを乗り越える国際ネットワーク）共同代表、人間らしい労働と生活を求める連絡会議（生活底上げ会議）代表世話人、公正な税制を求める市民連絡会共同代表、希望のまち東京をつくる会代表、供託金違憲訴訟弁護団団長、週刊金曜日編集委員などを務める。

＜著書＞
『消費者金融　実態と救済』（岩波新書）、『反貧困―半生の記』（花伝社）、『東京をどうする』（花伝社）、『自己責任論の嘘』（ベスト新書）、『天皇制ってなんだろう？あなたと考えたい民主主義からみた天皇制』（平凡社）など多数。

韓国市民運動に学ぶ——政権を交代させた強力な市民運動

2020年2月25日　初版第1刷発行

著者 ——宇都宮健児
発行者 —平田　勝
発行 ——花伝社
発売 ——共栄書房
〒101-0065　東京都千代田区西神田2-5-11出版輸送ビル2F
電話　03-3263-3813
FAX　03-3239-8272
E-mail　info@kadensha.net
URL　http://www.kadensha.net
振替 ——00140-6-59661
装幀 ——黒瀬章夫（ナカグログラフ）
印刷・製本—中央精版印刷株式会社

ISBN978-4-7634-0916-4 C0036